KB103633

나를 안전하게 한 문장들

지은이 호세

내 동료들이 웃으며 출근해서 안전하게 일하게 하고 그
모습 그대로 퇴근하는 게 목적인 안전관리 책임자입니다.
현재는 외국계 제조업 아시아 총괄 안전리더로 일하고
있습니다. 저서로는 <아무튼, 안전>이 있습니다.

브런치 brunch.co.kr/@zziggurex1

안전 인스타그램 @Jose_safety

책 인스타그램 @Jose_bookstagram

발 행 | 2024-02-01

저 자 | 호세

펴낸이 | 한건희

펴낸곳 | 주식회사 부크크

출판사등록 | 2014.07.15(제2014-16호)

주 소 | 서울 금천구 가산디지털1로 119, A동 305호

전 화 | 1670 - 8316

이메일 | info@bookk.co.kr

ISBN | 979-11-410-7006-9

나를 안전하게 한 문장들

호세 지음

차례 Contents

00 프롤로그

안전 업무를 하면서 내가 많이 알아야 직원들의 생각을 변화 시킬 수 있고, 내 지식을 전달함으로써 내가 배운다는 걸 알게 되었다. 대학원 시절 어느 한 교수님이 비유적으로 머리에 들어갈 수 있는 지식이 10이라면 10의 지식을 다 채우면 이걸 비워야지 다른 새로운 지식 10을 머리에 채울 수 있다고 했다. 그걸 비울 방법은 이 지식을 다른 사람들에게 전달해야 비로소 비울 수 있다.

지식의 습득은 내가 직접적으로 업무를 경험하면서 몸소 체험하는 방법과 간접적으로 얻는 방법이 있는데, 직접적으로 업무를 경험하는 방법은 아무리 발버둥 쳐도 20년 30년 경력을 가지신 선배들을 이길 수 없다. 그리고 지금 10년의 경력으로서는 한계가 있다. 그래서 생각한 게 간접적인 방법으로 직접적인 방법에서 얻지 못하는 걸 얻어보자 해서 시작한 게 독서였다. 2016년 세연이 (딸)가 태어난 뒤로 독서습관을 들였는데 지금까지 매년 100권의 책을 읽었다. 어디서 본건 있어서 노션(Notion)이라는 애플리케이션에 독서 노트를 쓰고 해도 나만 그런 건지 기억도 나지 않고 내가 기록 한 걸 보지도 않는다. 독서 방법을 바꿀 필요가 있었다. 매년 독서 목표는 100권인데 우후죽순으로 읽는 거보다는 책의 종류별로 안전 서적 10권, 심리 10권, 경영 20권, 마케팅 20권, 리더십 10권, 부동산 10권, 소설 10권, 글쓰기 10권으로 잡았다. 이전과 같이 책을 읽고 느낀 바를 노션에 기록하는 거보다는 내가 책을 통해 얻은 지식을 같이 공유하고 나는 다시 새로운 지식을 채우자는 목표로 인스타그램 계정에 기록하였다.

만약 내가 사과 하나, 세연이가 사과 하나를 가지고 있다고 가정해 보자, 나의 사과를 세연이한테 준다면 세연이는 사과가 두 개가 될 것이다. 이번에는 설정을 바꿔서 생각해 보자 내가 지식 하나, 세연이가 지식 하나를 가지고 있다고 해보자, 나의 지식을 세연이한테 준다면 세연이의 지식은 몇 개가 될 것인가? 두 개?? 정답은 나도 모른다. 두 개가 될 수도 있고 네 개, 열 개,백 개가 될 수도 있을 것이다. 참 재밌다. 그래서 지식을 탐구하고 습득하는 공부는 해도 끝이 없는 게 아닐까?

안전환경업무를 현 회사에서 2010년도부터 안전관리

자로 시작하였고 지금은 아시아지역 총괄 안전환경리더로 일하면서 매번 부족함을 느끼고 예측 불가능한 미래에 불안감을 가지고 있다. '정답이 없는 것이 정답'이라는 말이 있듯이 세상이 빠르게 변화하듯이 우리가 과거에 정답이라고 생각한 것이 오답이 되고 있는 세상에서 정답은 아니겠지만 나에게 올바른 방향을 제시해줬던 것이 바로 책이었다. 그동안 내가 책을 통해 얻었던 안전 인사이트를 나눠주고 싶었다. 나는 믿는다. 인생의 목표가 결국에 행복이라면 그 행복을 위해서 우리는 안전하고 건강해야 한다는 것을. 안전환경팀에서 근무하고 있는 내가 사람들을 행복하게 만들어 주는 사람이라는 것을.

01 / 안전교육과 개인의 심리적 요인 관리가 안전의식 향상의 핵심이다.

1. 나는 안전교육의 힘을 믿는 사람 중에 하나다. "아는 것이 힘이다. " 맞는 말이다. 위험이 무엇인지 그럼 그 위험에 대처하고 사고를 예방하려면 어떻게 해야 하는지 알아야 나를 지킬 수 있다. 작업자의 안전의식을 높이는 데 안전교육은 파워풀한 도구임에 틀림없다. 다만, 안전교육을 하는 관리자(교육 강사)가 가져야 할 자세가 중요하다. 끊임없이 공부해야 하고 어떻게 하면 작업자들에게 안전을 알기 쉽게 전달할까, 고민해야 한다.

2. 제자의 수준은 스승의 수준을 따라가지 못한다는 이야기가 있다. 그럼 제자의 수준을 높이려면 어떻게 해야 하냐고?! 스승의 수준을 높이면 된다. 그럼 그만큼 따라오기 마련이다. 안전리더가 안전 레벨이 5 라고 하면 그 밑의 사람들은 그 수준은 욕심이지만 레벨 4 까지 끌어올릴 수 있다. 리더의 수준이 높으면 높을 수록 좋다.

3. 안전관리는 실패를 피하는 방식이 아닌 성취를 하는 방식으로 변화되어야 한다.

"줄이는 것, 없애는 것" 의 가치(-)가 아니라 생산성, 품질과 같이 "향상 되는 것, 좋아지는 것" 의 가치(+)가 중심이 되어야 한다.

안전은 "처벌을 피하려면 해야 하는 것, 따라야 하는 것, 시키니까 하는 것" 이 아닌 "나에게 이익이 되는 것, 도움이 되는 것, 모두에게 좋은 것" 이 되어야 한다.

4. 버드 재해 발생 5단계에 따르면 사회적 환경과 유전적 요소를 가진 사람이 개인의 결함에 의해 불안전한 행동과 불안전한 상태를 가지고 사고를 발생시키는데 우연의 법칙에 따라 재해가 발생한다. 각각의 과정 중 직접 원인만을 한 군데라도 제거하면 사고의 연쇄 과정을 막아 최종과정인 재해를 예방한다는 이론을 버드의 도미노 이론이라고 한다.

보통 불안전한 행동과 불안전한 상태를 직접적인 원인이라 말한다. 하지만 눈여겨봐야 할 것이 2번째 도미노인 개인적 결함이다. 이런 개인적 결함에는 피로, 불안, 분노, 근심·걱정, 인내 부족 등 심리적인 요인 등이 있는데 과도한 스트레스가 영향 크게 미친다.

5. 스트레스는 지적인 수행 능력을 감소시키고 이러한 스트레스가 사고를 유도하게 되면 이것이 향후 다시 스트레스의 요인이 된다. 또한 스트레스 지수가 높을수록 안전 행동은 감소하고 사고는 증가하는 경향을 보였다. 이러한 스트레스는 안전사고의 가능성을 높일 뿐만 아니라 기업의 생산성을 감소시키고 비용도 증가시킨다. 건강한 직원이 건강한 조직을 만든다. 직원들의 신체 건강과 정신건강에 투자하는 것이 조직의 안전과 생산성을 증가시킬 장기적인 방안이다.

6. 많은 방식이 있지만 특히 불안전한 행동을 안전 행동으로 변화시키는 것. 즉 사고 원인에 초점을 맞추는 행동 기반 접근 방식의 사고 감소 효과가 가장 큰 것은 당연한 것으로 보인다. 우리가 근로자와 관리자의 불안전 행동

을 안전 행동으로 변화시킬 수 있다면 사고는 감소할 것
이다.

7. 안전관리는 인간 본성과의 싸움이다. (Fighting with human nature)

출처: 안전이 묻고 심리학이 답하다 / 문광수,이종현 지음

02 / AI의 적절한 활용은 안전 문화 개선에 기여한다.

1. 기술이 발전한다고 해서 그것이 우리에게 무조건 도움이 될까? 그렇지 않다. 발전한 기술을 활용할 수 있어야 우리 삶에 도움이 된다. 전문가나 기업 혹은 투자자들은 막연히 "기술이 발전하니까 우리는 돈을 벌 거야. 이런 엄청난 기술을 갖고 있으니까" 라고 말하기도 한다. 그러나 이 기술을 어떻게 활용하는지에 대한 고민 없이는 인류에게 아무런 도움도 되지 않을 것이다.

2. 그렇다면 챗 GPT를 어떻게 보아야 할까? 챗 GPT가 우리의 미래를 바꾸고 인간의 일을 다 대신해 줄 엄청나게 대단한 기술인 것처럼 많이들 이야기한다. 챗 GPT는 인간의 언어로 소통하는 초고도화 맞춤형 거대 검색엔진이라고 보면 된다. 네이버의 끝판왕. 혹은 인간의 언어로 이야기하는 구글이라고 생각하면 된다. 현재로서는 그게 챗 GPT다.

3. 챗 GPT는 엄청난 혁신이다. 인간의 언어를 제대로 구사할 수 있는 AI 자체가 이제까지 존재하지 않았기 때문이다. 그런 맥락에서 엄청난 혁신은 맞지만, 챗 GPT가 인류의 목적을 달성한 건 아니다. 챗 GPT는 단지 학습을 바탕으로 인간의 언어를 거대 연산 모델 기계다. 그렇기 때문에 챗 GPT가 모든 문제를 해결해 줄 수는 없다. 챗 GPT는 스스로 생각하지 않는다. 세상에 이미 존재하는 정보만 취합해 줄 뿐 새로운 정보를 절대 만들어낼 수 없다. 왜냐하면 정보를 만들어내는 기능 자체를 탑재하지 않았기 때문이다.

4. 그러니 인간이 시킨 일을 잘할 것이고 시키지 않은 일은 당연히 못 할 것이다.

5. 챗GPT에 대한 책을 많이 구매해서 읽었다. 프롬프트도 공부하고 생성형 AI 툴 이것저것 사용해 보면서 이런 세계도 있구나 스스로 감탄한 적이 한두 번이 아니다. 챗 GP에 관심이 있는 사람이라면 많은 도움을 받고 나 대신

일을 해주기도 한다. 하지만 명심해야 할 것은 챗 GPT는 의사결정을 하지도 않고 나 대신 책임을 져주지 않는다. 결국 사람이 결정하고, 실행하고 책임지는 것이다. 아무리 기술이 발전해도 AI가 세상을 지배한다고 우려해도 사람의 본질은 더 강조될 것이다.

6. 내 업무(안전환경팀)에 챗 GPT를 적용해 본 사례를 하나 이야기해 보자면, 우선 회사 내 사고 예방을 위해서 작업자의 불안전한 행동을 개선해야 하는데 어떻게 하지? 생각하다 우선 포스터를 제작해서 회사 곳곳에 부착하고 시각적인 커뮤니케이션을 하자에서 시작해서 어떤 내용의 포스터를 제작할까? 생각하다 뭔가 직원들의 감성을 터치할 수 있는 이야기를 포스터에 담아보자 결정하고 구글을 검색하다가 외국아이가 헬멧을 쓰고 "If you see my mom or dad doing something unsafe please stop them" 이라고 이야기하는 포스터를 발견했다.

7. 이 포스터를 우리 현장에 맞게 제작하고 싶은데 어떻

게 하지 하다가 외국아이를 한국 여자아이로 바꿔야 하고 물론 포스터 글자도 한글로 만들어야 한다. 단순하게 딸 세연이를 모델로 헬멧을 씌우고 안전조끼를 착용하게 한 다음에 사진을 찍으면 된다. 근데 시간이 오래 걸리고 세연이가 해줄지도 의문이고 쿨럭. 그래서 생각한 게 사진을 만들어주는 AI로 제작해볼까 생각이 문득 들어 바로 접속했다.

8. 우선 챗 GPT에 프롬프트를 제작해달라고 이야기했다. "나는 사랑스러운 아시아 여자아이가 안전 헬멧과 안전 조끼를 착용한 사진을 제작하고 싶은데 프롬프트를 제작해 줘" 이렇게 프롬프트를 날리자마자 챗GPT가 사진 제작을 위한 프롬프트를 생성해 주었다. 나는 그걸 그대로 복사해서 미드저니(사진 자동 생성 AI)에서 사진 생성을 요청했다. 한 번에 내가 맘에 드는 사진을 만들지는 못했지만 계속 질문을 고치고 요청하고 고치고 요청하기를 반복하다 맘에 드는 사진을 생성해 주었다. 이 과정이 20분도 채 안 걸렸다.

9. 그 사진을 가지고 이제 포스터를 제작해야 하는데 웹에서 제작할 수 있는 편집 툴이 많다. 대표적으로 캔바, 미리 캔버스, 망고보드가 있는데 나는 미리 캔버스를 주로 사용한다. 뭐 나는 투박한 공대생이라 세밀하지 못해서 원래 있는 포스터 양식에 엎어 치기 해서 나름 보기 좋게 제작했다.

10. 지금 회사 이곳저곳에 붙어있다. 직원들이 누구 딸이냐고 묻는데 난감하다 쿨럭

출처: GPT 사피엔스 / 홍기훈 지음

챗 GPT로 만든 불안전한 행동 개선 캠페인 포스터

챗 GPT로 만든 공장 입구 안전 포스트

03 / 안전 문화는 지속적 노력으로 개인과 조직에 행복을 가져온다.

1. 회사의 안전관리를 담당하는 사람으로서 최고의 가치는 강력한 안전 문화를 바탕으로 나와 내 동료 더 나아가서는 내 가족의 행복을 지키는 것이 아닐까 한다. 안전 문화. 안전 문화. 안전 문화…. 너무 뜬구름 잡는 단어가 아닌가… 실제 현장에서 눈에 보이지도 잡히지도 않는 꿈의 단어이다. 안전 문화에 대한 정의를 여러 기관, 학자들이 내렸다.

"안전 문화란 조직의 안전 문제가 우선시되고, 조직과 개인이 그 중요성을 분명히 인식하고, 조직과 개인이 이를 바탕으로 항상 그리고 자연스럽게 생각과 행동을 취하는 것을 의미한다. 그것은 가능한 행동의 체계이다. "

"안전 문화는 개인과 집단의 가치관, 사물에 대한 태도, 감정, 전문기술, 기능, 행동 패턴의 결과로써 윤곽을 파악하는 것"

"안전 문화는 공유된 문화, 보고문화, 공정 문화, 유연한 문화 및 학습 문화로 구성된다."

여러 정의 중에 개인적으로 동감하는 안전 문화는 아무도 보고 있지 않을 때 조직이 행동하는 방식이다.

2. 아무리 안전성을 높이는 노력을 하더라도 재해가 빈발하는 때도 있고, 별다른 노력을 하지 않고 있어도 재해가 전혀 발생하지 않는 때도 있다. 재해가 발생하지 않는 시기를 '흔들리지 않는 배' 라고 말할 수 있다. 흔들리지 않는 기간은 구성원들의 안전에 관한 관심과 자원의 투입량이 줄어들 가능성이 커진다. 재해의 아픈 경험을 떠올리고 싶지 않은 것은 인지상정이고, 재해가 발생하지 않으면 잘 운영되고 있다고 생각하는 경향이 있기 때문이다.

3. 하지만, 배의 흔들리지 않는 상태는 길게 지속되지는 않는다. 이것은 역사가 증명하고 있다. 갑자기 재해가 다발하고 손을 쓸 수 없을 정도로 안전이 열화 되어 있는 것을 깨닫고 나서 깜짝 놀란다. 따라서 안전 문화에서는

'두려워하는 것(재해의 기억)을 잊지 않고 노력을 계속하는 것'이야말로 항상 유념해야 할 점이다.

즉, 결과에 크게 연연하지 않고 충실하고 끈기 있게 노력해 가는 '프로세스'를 실행하는 것이 매우 중요하다.

4. 안전 문화는 달성된 결과라고 보기보다는 달성하기 위하여 끊임없이 노력해야 하는 목표이다. 중요한 것은 도착보다는 여정으로 안전 문화의 조성이 어디서 뚝 떨어지는 것이 아니라 저 멀리서 지난한 과정을 거쳐 찾아오는 것이라는 것을 시사한다.

5. Safety is a long journey (안전은 정말 길고 긴 여행이다)

6. "무고한 사람들이 목숨을 잃는 사고는 비극적이다. 그러나 그것으로부터 배우지 않는 것이 더 비극적이다." 사고가 발생하였다는 것은 미래의 사고를 예방할 수 있

는 마지막이자 절호의 기회이다. 따라서 현시대에 적절한 사고조사와 분석기법이나 모델을 적용하여 효과적인 대책을 마련하여 개선해야 한다.

8. 근로자의 불안전한 행동이 사고 발생의 주요 기여 요인이라는 건 누구나 다 알고 있다. 연구에 따르면 근로자가 고의로 불안전한 행동을 하는 경우보다는 위험 인식 수준이 낮기 때문에 불안전한 행동을 하는 경우가 많다고 알려져 있다. 따라서 불안전한 행동을 줄이기 위해서는 근로자의 위험 인식 수준을 높이는 것이 중요하다. 하지만 휴먼 에러를 보는 오래된 관점은 휴먼 에러를 사고의 근본 원인으로 사고조사를 종료하는 것이다. 하지만 새로운 관점은 인간 실수를 근본 원인으로 보지 않고 사고를 유발한 도구, 작업, 환경, 기능과 관련된 기여 요인을 찾는 시작점을 보는 것이다.

9. B(Behavior) = P(Person) + E(Environment) 라는 공식이 있다. 그 사람이 이상해서 불안전한 행동을 하는

것이 아니라 그런 행동을 하게끔 주변 환경이 만들어져
서 불안전한 행동을 하게 된다는 의미이다.

10. 어느 기업의 사장은 주기적으로 구성원과 협력업체
종사자에게 안전과 관련된 메시지를 전달한다. "여러분
의 가족이 출근할 때와 꼭 같거나 그보다 더 건강하고 즐
거운 마음으로 가정으로 돌아가는 것" 이것이 바로 회사
의 가장 중요한 경영철학이라고 강조한다. 현 회사에 내
가 밀고 있는 문구도 동일한데 "나의 안전이 가족의 행복
이다. "

출처: 새로운 안전문화 / 양정모 지음

04 / 안전 투자는 사고 예방과 이익 증대에 필수적이다.

1. 안전은 경제재이다. 사고를 예방하기 위해서는 비용과 시간을 투자해야 한다. 안전에 투자해야 할 비용 규모는 사고가 발생할 확률과 사고가 났을 때 치러야 할 비용을 곱한 값에 비례한다.

2. 2013년도 국제사회 안전협회에서 발표한 산업안전보건에 대한 투자 편익 분석 결과 안전 투자 대비 기업의 편익 비용 비율이 1 : 2.2로 나타났다. 이는 기업이 안전에 1을 투자하면 2.2배에 해당하는 투자 이익을 얻는다는 이유이다.

3. 회사가 10조 원을 목표로 하고 있는데 10조 원이면 0이 13개이다. 그런데 맨 앞의 1이 볼링의 킹핀과 같은 역할을 하는데 이것이 쓰러지면 13개의 0은 무의미하다. 1

이 바로 안전이다. 일터에서 발생하는 사고나 재해는 대부분이 위험을 보지 못하거나 무시하면서 발생한다.

화환상적어홀미(禍患常積於忽微)라는 말이 있다. 사람이 큰 돌에 걸려 넘어지는 경우는 별로 없고 대부분 하찮게 여겼던 작은 돌에 걸려 넘어진다는 뜻. 이렇듯 작은 위험을 소홀히 여긴 행동이 돌이킬 수 없는 결과를 가져온다.

4. 사업장의 사고 예방을 위해 나의 안전 관련 지식이 조금이라도 도움이 됐으면 하는 바람으로 안전 관련 서적을 서점에서 구매해서 정보를 얻고 지식을 탐색하는 사람이 몇이나 될까?

5. 사양이 같은 두 대의 기계를 같은 매뉴얼에 따라 운전하면 비슷한 비율로 사고가 발생해야 하지만 운전자에 따라 사고율은 큰 차이를 보인다. 운전자의 불안전한 행동과 이에 영향을 주는 안전 문화 수준의 차이가 사고 발생 빈도의 차이로 나타나는 것이다. 환경 변화가 생각을

바꾸고 생각이 습관을 바꾸어 놓게 된다. 휴식 시간을 편안하게 보낸 근로자의 심리상태가 그렇지 못한 근로자에 비해 안정적이며 이는 안전, 품질, 생산에 직접적인 영향을 미칠 것이다.

6. 대부분의 사고 발생 요인은 작업자의 불안전한 행동에 있다. 하지만 불안전한 행동을 발굴하고 개선하는 노력은 끝이 없다. 하지만 끝이 없어도 작업자 한 사람 한 사람 일깨워 주어야 하는 게 우리의 일이다.

출처: 친밀한 위험들 / 이충호 지음

05 / 책임보다 재발 방지에 집중하자

1. 사회적으로 커다란 충격을 주는 사고가 발생했을 때 그 피해나 손실에 대한 책임을 추궁하는 것은 당연하지만, 그것 만으로 완전히 해결되지는 않는다. 가장 중요한 것은 비참하고 충격적인 사고가 다시는 재발하지 않도록 사고 방지 대책이 중시되어야 한다. 이를 위해서는 책임 추궁과는 별도의 관점에서 사고 원인에 대한 상세한 기술조사가 이루어져야 하고, 확실하고 효과적인 대책도 마련되어야 한다.

2. 15년 가까이 안전 업무를 했어도 사고가 날 때마다 당황스럽고 낯설다. 하지만 사고에 즉시 대처할 수 있는 이유는 그동안의 경험이나 이미지 트레이닝 덕분이다. 사람은 의식 레벨이 패닉 상태 즉, 비상 상황이 발생하여 당황하거나 사고로 다칠 때의 상황을 경험하게 되면 인간의 기본 특성상 대처 능력이 반감이 된다고 한다.

3. 그럼 긴급 상황에서도 패닉에 빠지지 않게끔 하면 되지 않겠는가? 그 방법으로 시뮬레이션은 실제로 행동하는 것만큼의 효과는 거둘 수 없어도 차선책으로 가장 훌륭한 방법이다. 시뮬레이션이 이처럼 우리가 생각하는 것보다 큰 역할을 하는 이유는 우리 뇌의 특징 때문이다. 뇌는 어떤 사건이나 일의 순서를 상상할 때 물리적 활동을 할 때와 똑같이 자극 받는다. 레몬주스를 마시는 상상을 하면 물을 마시면 평소보다 침이 더 많이 분비되고, 반면 물을 마신다는 상상을 하고 레몬주스를 마시면 침이 적게 나온다.

즉, 우리가 미리 생각으로 예행연습을 하면 실제로 그런 일이 벌어졌을 때 뇌는 이미 시뮬레이션으로 익숙한 상황이므로 일을 잘 처리하는 것이다. 기억은 과거를 회상하는 것만 있는 것이 아니라 실제로 경험할 수 없는 미래 일의 시뮬레이션을 통해 기억할 수 있다. 그럼, 우리 사업장에서 할 수 있는 시뮬레이션은 무엇이 있을까? 소방 훈련, 사고 발생 시 시나리오 등이 그에 해당한다.

4. 일반적으로 사고는 당사자의 고의로 일으키는 것이 아

니라 최선을 다해 열심히 한 결과가 기대와는 반대로 나타난 것이다. 그러니 본래 꾸짖을 만한 게 아니다. 하지만 실제 사고가 발생하면 책임 지향형의 문화가 한국 사업장에 이미 퍼져 있어서 모든 부서에서 각자의 책임이 아니라는 걸 주장하고 근로자 대표인 노조에서는 해당 작업자의 책임이 아니라고 반대 주장을 펼치고 돌고 돌다가 안전을 담당하는 부서로 화살이 돌아온다.

사고-> 책임 추궁->처벌-> 1건 종결?->실제로는 아무것도 해결되지 않음

5. 재발 방지를 위해서는 이 책임 지향형 사고 흐름에서 대책 지향형으로의 발상 전환이 필요하다. 사고가 언제, 어디서, 어떻게, 왜 일어났는지를 조사하고 어떻게 하면 다시 일어나지 않고 끝낼 수 있을지 구체적인 대책은 무엇인지 등을 검토하는 것이다. 사고 발생 현상이란 인간과 기계 인간과 환경 또는 시스템과의 부적합의 결과 때문에 발생하는 사건으로 배후의 많은 요소들이 연쇄반응하여 사고로 이어지는 것이다. 이 때문에 사고 당사자만을 대상으로 대책을 마련하는 것이 아니라, 동시에 기계,

환경, 시스템 등 광범위한 영역에 걸쳐 종합적인 대책을 수립하지 않으면 안 된다..

6. 물건을 만드는 것도 인간이고, 그것을 유통하고 사용하는 것도 인간이다. 그렇기 때문에 일단 사고가 발생하면 반드시 인간이 관여할 수밖에 없다.

7. 사건의 연쇄를 추적하다 보면 당사자 개인의 문제 뿐만 아니라 조직이나 시스템 전체의 문제에 직면하게 된다. 조작 실수나 깜빡하여 놓치는 행위 등 구체적으로 드러나는 당사자의 에러 원인이나 에러 내용이 사고로 이어지는 것을 방지할 수 없었던 환경이나 배경 등이 명확하게 나타나는 데 이러한 것들을 총칭해서 조직 에러라고 한다.

8. 당사자 에러는 작은 문제라 지적하기 쉽고 대책도 세우기 쉽다. 하나 조직 에러는 문제가 크고 잠재된 것이기

때문에 알아보기 어렵다. 또한 조직의 문제이기 때문에 지적하기 어렵고, 해결책도 간단하게 구축할 수 없기 때문에 주목받기 어렵다는 특징이 있다. 이러한 조직 에러를 간과하고 처리하기 쉬운 당사자 에러에 대한 대책만 세우고서 사건을 종결 짓는다면 동일 한 사고가 반복된다는 사실에 주의할 필요가 있다.

출처: 사고는 왜 반복되는가? / 이시바시 아키라 지음

06 / 심리적 접근으로 사고 예방하기

1. "저 사람은 과묵하니까 내버려두자. 말을 걸면 오히려 더 나빠질 것 같아"

이런 엉뚱한 배려나 소극적인 태도는 관리, 감독자 나 안전담당자에게는 금물이다. 안색이 나쁜 사람, 음울한 표정을 짓고 있는 사람, 내향성에 과묵한 사람을 보았다면 적극적으로 말을 걸고 이야기하자. 상대방과 이야기하기 위해서는 좋은 분위기를 만들지 않으면 안 된다.

문제의 핵심에 단도직입적으로 들어가는 것은 좋은 방법이 아니다. 이야기하는 장소도 배려해야 하고 마지막으로 이야기의 타이밍도 중요하다. 식사하러 가기 직전이나 퇴근 준비를 하고 있을 때 몸, 마음 모두 여유가 없으므로 면담 효과는 올라가지 않는다. 지위가 높을수록 먼저 인사하면서 말을 건다. 동시에 부하직원이 어떤 것에 흥미와 관심이 있는지 호기심을 가지고 탐색해 나가는 노력을 게을리해서는 안 된다.

2. 하인리히의 도미노 이론이 있는데, 미국의 '하인리히 (H. W. Heinrich)'는 재해 수준에 이르는 대형 사고의 발생까지는 여러 단계의 사건이 도미노처럼 순차적으로 일어나기 때문에 앞선 단계에서 적절히 대응한다면 이를 막을 수 있다고 제시했다. 재해가 발생하기까지의 사건 발달 단계는

1) 사회적 환경과 유전적 요소 (Ancestry & Social Environment)

2) 개인적인 결함 (Fault of Person)

3) 불안정한 행동 및 상태 (Unsafe Act or Condition)

4) 사고 (Accident)

5) 재해 (Injury)

와 같이 규정하며, 핵심은 3단계의 불안정한 행동 및 상태를 제거한다면 재해를 막을 수 있다는 데 있다고 하여 우리 사업장의 불안전한 상태 및 행동을 끊임없이 발굴하고 개선하고 있다.

3. 하지만 내가 생각하는 안전관리는 현장 내 불안전한 상태 및 행동의 발굴도 중요하지만, 그전의 도미노인 개인적 결함에 관심을 가질 필요가 있다. 개인적 결함이라고 하면 성격이나 심리적인 요인에 해당한다. 불안전한 상태 및 행동만 발굴한다고 사업장의 사고 발생을 무조건적으로 막을 수는 없다.

사고 발생의 간접원인이 되는 개인적 결함을 조금이라도 해결해 준다면 불안전한상태 및 행동의 도미노까지 발전되지 않을 것이다.

4. 기억연구 분야에서는 기억을 단기기억과 장기기억으로 분류한다. 연령별로 단기 기억과 장기기억의 능력을 조사 15세부터 85세까지 사람을 피시험자로 기억 능력을 조사. 15세까지는 단기기억과 장기기억 사이에 차이가 없지만, 35세부터 차이가 벌어지고 나이가 많아지면서 그 차이가 커진다. 그리고 55세가 되면 더욱 더 커진다. 이처럼 나이를 먹음에 따라 기억 능력 감퇴는 단기기억에서 현저하며, 장기기억은 조금 저하는 되는 정도이다.

5. 고령자의 단기기억 능력이 떨어지는 이유는 우선 고령자에게 단기기억을 촉진하는 학습기회가 없다. 초중고생에게는 대학입시라는 특수조건으로 기계적으로 기억하고 잦은 학습을 한다. 이런 환경이 학습자의 기억 능력을 높인다. 그러나 고령자가 되면 과거의 학습 내용이 몸 전체에 고착해 하나의 습관으로 완성되며 새로운 학습 재료를 받아들이지 않으려 하거나 새로 투입되는 기억 소재를 방해하는 간섭효과 작용.

하지만 중장년이라 해도 학습에 대한 동기 부여가 높고, 의식적으로 제대로 기억하려는 사람은 단기기억 능력 저하를 방지할 수 있는 실험 보고가 있다. 즉 고령자라도 학습에 제대로 시간을 들이고 반복연습을 하며 어떤 내용이 이어질지 생각하면서 기억하면 망각 비율을 낮출 수 있다.

6. 예를 들면. 조례나 TBM 진행 시 감독자가 주의 사항이나 재해사례를 세세하게 이야기하더라도 이렇게 전달하는 방식은 내용은 70~80퍼센트는 들리지 않는다고 생각해도 좋다. 설령 들었다 하더라도 그 내용을 완전히

기억하는 사람은 없다. 중장년이 되면 그 비율은 증가한다. 앞서 말한 것처럼 단기기억 능력이 저하되고 있기 때문이다.

7. 안전 업무를 하면 이해가 안 되는 일이 상당히 많다. 예를 들면, 아침에 지게차 규정에 대한 안전교육을 했는데 몇 시간 뒤에 지게차 사고가 발생하여 사고분석을 해보면 아침에 교육했던 규정만 지켰어도 발생하지 않았을 사고였다. 이 책을 읽으면 왜 그동안 그런 사고들이 발생하게 되는지 조금은 이해가 간다. 사업장의 사고 예방을 위해서 이 안전 심리는 간과할 수 없는 문제이다.

출처: 위험과 안전의 심리학 / 마사다 와타루 지음

07 / 보이지 않는 위험

1. 불은 맹렬하기 때문에 그 피해를 누구나 알고 있다. 그러므로 화재로 타 죽는 사람은 그리 많지 않다. 물은 약해 보이기 때문에 사람들은 그 위협을 가볍게 여기고 물에서 논다. 그래서 익사하는 사람이 많다. 작업자가 현기증이 날듯이 높은 장소에 있을 때는 무서워서 스스로 조심하기 때문에 주의하라고 말할 필요가 없다. 실수는 꼭 별 위험이 없어 보이는 장소에서 일어난다. 이와 같이 두려움을 잊으면 사고가 나기 쉽다. 그러므로 두려움을 상기시켜 경고의 효과를 높이는 것도 사고 예방을 위한 한 방법이다.

2. 산업재해의 원인을 조사한 결과 불안전 행동과 상태가 동시에 원인으로 작용한 것까지 포함할 경우에는 산업재해 원인의 96%가 불안전 행동에 의해 발생한 것으로 밝혀졌다. 국내 기업을 분석해 보더라도 이와 유사하게 사고의 90% 이상이 불안전한 행동에서 비롯된 것으로 나

타났다. 따라서 사고를 예방하려면 근로자들의 안전 관련 행동을 관리할 필요가 있다.

3. 우리는 왜 불안전한 행동을 하는 것일까? 이 질문에 답하기는 매우 어렵다. 상식적으로는 지적 능력이 부족하거나 경험이 별로 없는 것이 착각이나 실수의 원인인 듯 생각된다. 하지만 상식적으로는 전혀 설명되지 않는 경우도 있다. 지적 능력이 높고 경험이 풍부한 사람도 착각할 수 있는 함정 문제가 존재하기 때문이다. 사업장의 사고 예방을 위해서 고려해야 할 부분 중 하나는 안전 행동과 심리적 요인과의 관련성이다. 왜 인간이 불안전 행동을 하는가에 대해서는 인간의 행동과 마음을 연구하는 심리학적 접근이 필요하다. 다양한 심리학적 관점이 있지만 안전 행동과 관련 지을 수 있는 몇 가지 대표적인 심리학적 원리들을 들 수 있는데 대표적인 것이 근로자의 인지와 주의 기능이다. 안전사고가 발생할 때 상당히 영향을 미칠 수 있는 요인 가운데 하나는 당시 근로자의 인지적 기능과 주의 집중 기능일 것이다. 우리 인간은 무주의 맹시(Inattentional blindness) 현상과 같은 주의력 착

각이 발생하는 환경에 수시로 노출되지만, 그러한 사실을 인지하지 못하는 경우가 많다.

4. 무주의 맹시와 관련되는 간단한 사례 가운데 하나로 우리는 퇴근길 운전에서 어떻게 집에까지 도착했는지 경험을 많이 해 보았을 것이다. 작업장에서도 수많은 현장의 안전 관련 정보들이 근로자의 시각 체계를 통해 들어오겠지만 모든 정보를 인지적으로 인식하여 행동으로 연결하는 것은 아니라는 점에 주목할 필요가 있다. 자동차 운전 사례에서도 알 수 있듯이 이러한 행동 결과에 영향을 미치는 또 다른 인간 행동의 특징은 바로 습관일 것이다. 인간에게 매번 무엇을 확인하고 그것을 해야 할지 또는 하지 말아야 할지 인지적 판단을 내리는 것은 쉬운 일이 아니다.

작업장 상황에서는 이처럼 기존에 형성된 다양한 습관들이 안전 행동에 영향을 미칠 수 있으며 안전 영역에서 긍정적으로 형성된 습관은 그나마 다행이지만, 부정적으로 행동하는 습관은 그러한 행동에 새롭게 주의를 기울이는 과정을 거쳐야 하고 반복적으로 피드백 하여 부정적 습관을 해체하는 절차를 다시 거쳐야 한다.

출처: 휴먼에러를 줄이는 지혜 / 나카타 도오루 지음

08 / 우리 모두 실수를 한다.

1. 사람들이 실수하고도 교훈을 얻지 못하는 이유는 근본 원인을 이해하지 못하기 때문이다. 원인을 찾아내는 일은 쉽지 않다. 실수의 원인을 분석하려면 인간이 가진 동기에 대해 깊이 이해해야 한다. 인간의 행동이 반드시 자기 의지대로 이루어지는 것은 아니다. 때로는 자신의 이익에 반하는 방향으로 행동할 수도 있다. 게다가 자신에게 편향이 존재한다는 사실조차 모르는 사람들도 많다. 과신, 뒤늦은 깨달음 등 여러 가지 이유로 인간의 판단은 왜곡된다.

2. 만약 여러 사람이 동일한 실수를 반복한다면, 그 실수의 원인부터 파악해야 한다. 그 원인은 개인이 아닌 조직에 있을 가능성이 높다. 따라서 이런 조직적인 실수의 원인을 찾을 때는 개인보다 그 위, 다시 말해 아래가 아닌 위를 바라보아야 한다. 실수의 많은 부분은 문화의 부산물이기도 하다. 사고뭉치를 꿋꿋이 인내하는 문화권도

있다. 그러나 그 반대도 있다. 미국 해군 같은 조직은 인내를 권장하지 않는다. 열악한 환경에서도 각자의 역할을 성공적으로 해내며 실수가 거의 없는 조직을 이른바 고 신뢰성 조직(High reliability organization HBO)라고 부른다.

3. 우리는 왜 실수를 하는가? 누구나 실수를 한다. 하지만 안전사고에 있어서 실수는 용납해서는 절대 안 된다. 실수를 하기 전에 먼저 실수하지 않도록 교육을 꾸준히 하거나 그런 환경을 만들어줘야 한다. 하지만 실수로 인한 불안전한 행동으로 사고가 발생이 되었다면 똑같은 실수로 유사한 사고가 발생하지 않도록 원인을 분석하고 개선해야 한다. 책에서도 말했듯이 그 원인은 개인이 아닌 조직에 있을 가능성이 높다. 조직의 원인을 개선 해야지 앞으로의 사고를 미연에 방지할 수 있다. 대부분의 사고 발생 원인을 보면 작업자의 불안전한 행동이 비율이 불안전한 상태에 비해 높게 차지한다.

4. 현재 내가 근무하고 있는 회사에서도 사고 발생의 원인으로 불안전한 행동이 거의 90% 이상이다. 사고가 발생이 되면 직접적으로 드러나는 원인이 작업자의 실수 또는 규정 미 인지 등의 불안전한 행동이기 때문에 거기에만 초점을 맞추지만, 우리는 작업자가 그런 행동을 하게 된 근본 원인을 찾아야 한다.

"Behavior(행동)= Person(사람) + Situation(상황 또는 환경)"

행동은 그 사람의 성격 및 유전적인 요소, 실수 등의 인적인 요인과 그 당시 상황 또는 환경에 의해 이루어진다고 한다. 즉, 사고의 발생 원인이 작업자의 불안전한 행동에 의한 인적요인이라고 하면 그 행동을 하게 된 다른 상황 또는 환경적인 요인도 동시에 찾아야 한다. 그 요인이 대부분은 조직적인 요인이 많다.

5. 실수를 줄이기 위한 방법으로 중요한 것은 연습이다. 물론 연습만 열심히 한다고 해서 아무나 세계적인 수준에 이르지 못한다. 경험과 전문성이 반드시 비례하지 않

는다. 즉 동일한 행위를 반복한다고 해서 반드시 더 나은 존재가 되는 것은 아니다. 연습이란 그 행위에 대한 기억력을 향상시키는 방향으로 진행되어야 한다. 장기간에 걸친 정확하고 신중한 연습만이 특별한 지식의 보고, 즉 머릿속에 소중한 지식의 도서관을 만들 수 있다.

6. 실수를 줄이는 다른 방법은 제약이다. 제약이란 그것은 우리가 가진 다른 대안들을 제한함으로써 정도를 유지하게 도와주는 의식적 도구로 정의된다. 제약과 유사한 개념 중 하나가 유도다. 사용 방식을 유도하는 결국은 사용 방식을 제약하는 것과 같다. 우리는 최대한 단순화하고 실수를 예방할 제약 도구를 만들어야 한다. 나는 믿는다. 상황의 작은 변화가 사람의 행동에 매우 큰 영향을 미친다. 우리는 작업자가 안전하게 작업할 수 있도록 그 환경 및 상황을 만들어줄 의무가 있다.

출처: 우리는 왜 실수를 하는가 / 조지프 핼리넌 지음

09 / 안전은 습관이다.

1. 행복한 가정은 모두 엇비슷하고, 불행한 가정은 불행한 이유가 제각기 다르다. 톨스토이의 위대한 소설 안나 카레니나는 이 구절로 시작한다. 안전한 사업장은 모두 엇비슷하고 사고가 발생한 사업장은 사고가 난 이유가 제각기 다르다. 가장 중요한 것은 안전 경영에 대한 경영자의 의지이다. 선진 회사들은 안전 관리가 생산활동의 일부로서 생산 부서가 책임지고 해야 할 일로 규정하고 이를 위해 생산 부서 사람들 모두 안전에 대해 잘 알고 안전 관련 업무에 적극적으로 참여하는 데 역점을 둔다고 합니다. 또한 안전 전문가는 공정에 대한 경험을 가진 엔지니어들을 대상으로 선발하여 육성한다. 반면에 안전 관리 수준이 아직 높지 않은 회사들은 안전 관리를 생산활동에서 분리해 안전 부서의 일로 여기고 안전 부서에서 책임지도록 한다.

2. 안전에 있어서는 1%의 실수는 100%의 실패라고 한

다. 굉장히 냉정하고 자극적인 말이긴 하지만 뼈 때리는 사실이라고 생각한다. 우리가 아무리 사고 예방을 위해 노력을 많이 한다지만 실수로 인한 사고로 그 노력이 수포로 돌아가기 마련이다. 그렇다고 해서 어차피 사고는 날 텐데 이렇게까지 안전에 신경을 써야 될까 생각이 문득 들기도 하지만 그 노력으로 인해 10번의 사고가 날 것이 1번의 사고로 줄어들 거라 확신한다. 그리고 그 노력은 안전을 담당하는 인원에만 해당하는 것이 아니라 모든 부서에서 책임지고 해야 할 일로 규정해서 자율 안전 관리가 되도록 해야 한다.

3. 달인이란 머리로 계산해서 행동이 나오는 것이 아니라 어느 상황에서나 몸에 익혔던 행동이 저절로 나오는 사람들이다. 우리의 행동을 변화시키는 것도 이성적인 판단이 아니라 우리 몸에 밴 습관이다. 차를 타면 생명을 지키기 위해 안전벨트를 매야지, 안전모를 쓰면서 사고를 예방하기 위해 턱 끈을 매야 한다고 생각하면서 하는 행동은 이성의 뇌인 대뇌가 작동한 결과이고, 차를 타거나 안전모를 쓰면서 아무런 생각 없이 안전벨트나 턱 끈을

매는 것은 본능적인 뇌인 소뇌가 작동한 결과이다. 이렇게 본능적인 영역을 담당하는 소뇌에 언제든지 필요한 것을 저장하는 방법은 반복 훈련밖에 없다고 한다. 반복 훈련이란 누군가의 끝없이 지적으로 인해 몸에 밴 습관이다. 우리가 지금 안전벨트나 안전모 턱 끈을 습관적으로 매는 것은 그동안 언론에서, 그리고 관리자들이 끝없이 지적하고 교육하여 본능적으로 행동하게 만든 결과이다. 다른 분야도 마찬가지지만 특히 안전과 환경 분야는 필요한 지식을 갖추지 않으면 언제든지 대형 사고로 이어질 수 있다.

4. 안전은 딱 아는 만큼 보인다. 관심이 있어야 보인다는 표현으로 바꾸어도 이상할 게 없다. 관심이 없다면 애초 보려고도 하지 않을 것이다. 그 관심을 만들어 줘야 한다. 여기서 경영자의 의지가 중요하다는 것이다.

5. 회사 경영에 있어 제일 기본이 되는 것은 안전이라는 것을 항시 전 직원에게 강조해 , 그 경영자의 의지를 바탕

으로 전 부서의 팀장들은 팀원 또는 현장 직원에게 반복
적으로 안전의식을 강조하고, 끝없이 지적하고 교육함으
로 안전한 행동이 몸에 배도록 훈련해야 한다 그러기 위
해서 모든 리더는 끊임없이 공부해야 한다.

출처: 안전경영, 1%의 실수는 100%의 실패다 / 이양수 지음

10 / 타인의 비판을 넘어서

1. 한 남자가 화가 나서 부처에게 소리쳤다. 하지만 그는 평소와 마찬가지로 고요하고 침착했다. 사람들이 부처에게 어떻게 그런 평정을 유지할 수 있느냐고 물었다.부처는 대답 대신 이런 질문을 던졌다.

2. 누군가 당신에게 선물을 주었다. 하지만 당신은 그것을 받지 않았습니다. 그렇다면, 선물은 과연 누구의 것입니까? 물론 선물을 주려고 했던 사람의 것이다. 이것은 누군가 내게 쏟아부으려 했던 말에 대해서도 마찬가지다.

3. 말 그대로 누군가가 나에게 욕을 한다면 내가 안 받으면 고스란히 그것은 욕을 한 사람의 것이라는 말이다. 참, 말은 쉽다. 부처와 같은 평정심을 가지기란 여간 쉽지 않은 일이다. 그리고 사람의 성격, 당시 상황에 따라 큰 차이가 있는 거 같다. 부처의 모습은 아마도 다른 사람의 말

에 쉽게 휘둘리거나 의식하며 살아가지 말고 나 자신을 위해서 살아가라는 의미로 생각된다.

4. 안전 업무를 하다 보면 여기저기서 듣는 소리가 많다. 안전관리자로 회사에 처음 입사해서 열정 하나만 가지고 현장에서 일하는 능구렁이 같은 고령의 직원들에게 잔소리할 일도 생기고, 타 부서에 협조 요청을 하는 등 직원들 스스로 안전을 위해 그게 무엇이든 하게끔 만드는 업무를 계속해 오고 있고, 세월이 지나 어느새 외국계 제조업 한국의 3개 공장, 중국 포함 아시아 총괄 통합 안전 환경 팀장이 되어 버렸다.

5. 사실 이 업무를 해오면서 좋은 소리보다는 조롱 섞인 어투로 안전 중요하지 않으니, 나중에 하자, 나이도 어린 놈이 네가 뭘 안다고, 내가 너보다 오래됐으니 이게 맞는 거야 뭐 셀 수도 없이 여러 부정적인 답변이 많이 들려온다. 사람은 감정의 동물인지라, 그런 소리를 듣고 기분이 좋은 사람은 없다. 하지만 정말 부처의 모습과 같이 다른

사람의 말에 휘둘려서 눈치 보는 일 없이 침착하고 초연하게 내 안전 업무를 해야 한다. 다른 사람의 말에 휘둘려서 안전을 위해 해야 할 일들을 등한시하고 뒷전으로 미룬다면 안전을 책임지고 있는 사람으로서 떳떳하지 못하다.

6. 회사 생활에 있어 사람과 사람의 관계 물론 중요하다. 그래서 더욱 싫은 소리를 하지 못한다. 하지만 안전을 담당하는 사람으로서 그 사람의 안전을 위해 일하고 그 사람의 안전을 생각해서 잘못된 건 가르쳐주고, 지적해 주는 것이 진정한 관계를 맺게 해주는 역할을 해주지 않을까 생각한다. 만약에, 다른 사람의 말에 휘둘려서 원래 해야 할 것들 사고가 난다고 하면 그건 누가 책임질 것인가?? 화살이든 뒤처리든 모두 안전을 담당하는 사람에게 돌아간다. 그럼 서로의 관계가 예전과 같이 희희낙락 좋기만 할까 하는 의문이 든다.

출처: 내가 원하는 삶을 살았더라면 / 브로니 웨어

11 / 일상과 안전관리에서 긍정적인 습관이 조직 성공을 이끈다.

1. 오늘 아침잠을 깨고 나서 가장 먼저 무엇을 했는가? 욕실에 달려가서 샤워했는가, 이메일을 확인했는가, 아니면 부엌으로 달려가 도넛부터 집어 들었는가? 세수하고 나서 이를 닦는가, 아니면 이를 닦고 나서 세수하는가? 출근할 때 어떤 노선을 택하는가? 퇴근해서 집에 돌아오면 간편한 운동화를 신고 조깅을 하러 나가는가, 아니면 텔레비전 앞에 앉아 저녁 식사를 하는가? 미국 심리학자 윌리엄 제임스는 우리 삶이 일정한 형태를 띠는 한 우리 삶은 습관 덩어리일 뿐이라고 말했다.

2. 우리가 매일 반복하는 선택들이 신중하게 생각하고 내린 결정의 결과물로 여겨지겠지만 실제로는 그렇지 않다. 대부분의 선택이 습관이다. 결국에는 이 습관이 건강과 생산성, 경제적 안정과 행복에 엄청난 영향을 미친다.

3. 습관이란 무섭다. 우리가 하는 선택들이 우리 스스로 신중하게 생각하고 내린 결정이라고 하지만 실제로는 대부분의 선택이 습관이라고 한다. 예로 들면, 처음 가는 길을 운전할 때 우리는 여러 가지에 신경을 쓴다. 하지만 운전이 익숙해진 후에는 어떠한가? 큰길로 후진해서 나갈 때마다 별일 없이 운전하고 관례로 하던 일이 습관적으로 굳어진 것이다.

4. 과학자들의 연구에 따르면 습관이 형성되는 이유는 우리의 뇌가 활동을 절약할 방법을 끊임없이 찾기 때문이다. 어떤 자극도 주지 않고 가만히 내버려두면 뇌는 일상적으로 반복되는 거의 모든 일을 무차별적으로 습관으로 전환하려고 할 것이다. 습관이 뇌에 휴식할 시간을 주기 때문이다.

5. 안전으로 적용해 보면 현장에서 발생한 사고들의 대부분이 작업자의 불안전한 행동이 주 원인이라는 건 통계적으로 이미 증명이 된 내용이다. 작업자가 스스로 선택

하는 불안전한 행동도 결국에는 습관에 의해 결정된다는 얘기가 된다. 우리의 뇌는 좋은 습관과 나쁜 습관을 구분하지 못한다고 한다.

6. 현장에서 크레인을 사용할 때 안전 헬멧을 착용해야 한다는 규정이 있다고 하면, 작업자는 고민할 것이다.

"헬멧을 쓰면 머리도 망가지고 무겁고 답답한데 그냥 착용하지 말고 누가 보기 전에 크레인을 빨리 사용하고 끝내야지." 이런 생각이 습관으로 길들게 되면 불안전한 행동은 습관으로 선택되고 언젠가는 크레인에 의한 사고가 발생할 수 있다. 그래서 작업자 스스로 의도적인 노력을 할 수 있도록 하거나 새로운 행동의 패턴이 형성되도록 하여 나쁜 습관이 될 수 있는 걸 없애야 한다.

7. 실제 책에서는 알코아의 사례를 들어 하나의 습관이 조직 전체에 파급되어 오닐이라는 사람이 최고경영자로 취임 후 1년 만에 알코아는 기업 역사상 최고의 이익을 얻게 된다. 그 하나의 습관이 바로 안전이었다.

8. 회사의 현 상황을 알고 싶다면 근로자의 안전 수치를 눈 여겨 봐야 하는데 조직 전체에서 습관을 얼마나 바꾸었나 보여주는 지표가 바로 안전 수치이고 회사는 그걸로 평가받아야 한다고 말했다. 오닐은 이미 직원의 안전과 건강, 가족의 행복이 우선시 되고 그것이 조직을 운영하는데 습관이 되어야 조직이 바뀔 수 있다는 걸 알고 있었다. 조직의 최고경영자의 안전의식이 안전관리에 있어 가장 중요하다는 것을 실제로 보여주는 사례가 아닌가 싶다.

출처: 습관의 힘 / 찰스 두히그 지음

12 / 산업재해의 심각성과 안전관리의 중요성.

1. 작년 한창 브런치에 내 업무(안전관리) 관련 업세이를 올릴 때 한 통의 메일을 받았다. 산업재해를 취재하는 기자인데, 산업 재해와 안전관리에 관련 책을 내는 과정에 노동조합이나 회사 홍보팀의 설명은 자주 들었는데 실무에 계신 안전관리 업무를 하는 분들의 목소리는 들을 기회가 없었는데 우연히 내 브런치를 보고 도움을 많이 받았고, 더 궁금한 사항이 있어서 인터뷰해도 되겠냐는 내용이었다.

2. 브런치를 하고 인스타 계정을 운영하는 이유 중의 하나는 나의 꾸준한 기록이 누군가에게 도움이 될 날이 있지 않을까 였다. 내가 조금의 선한 영향력을 줄 수 있다면 우연히 나를 찾아 기꺼이 나에게 요청을 해준 기자님께 도움을 주고 싶어 인터뷰를 승낙하고 이메일로 전화 통화로 여러 질문에 대답을 해드렸다. 안전관리 업무를 하는 나보다 더 깊이 이쪽 세계를 이해하고 있고 질문들이

깊이가 있어 놀라기도 하고 재밌기도 했다. 그게 벌써 작년 이맘때쯤 이다. 재밌는 건 예상치도 못하게 책을 내가 먼저 출판했다. 그 책이 '아무튼 안전' 이다.

3. 드디어 기자님이 책을 출판하셨다는 반가운 문자를 받았다. 내 책이 처음 나왔을 때 기분과 거의 비슷한 기분으로 책을 읽었다. 산업재해로 하루 평균 2명의 작업자가 출근 후 그 모습 그대로 퇴근하지 못했다. 2021년 평택항에서 안타깝게 돌아가신 20대 노동자 이선호 씨 사고부터 구의역 김 군, 태안화력 발전 김용균 등의 산재사고의 죽음의 이유를 하나하나 되짚어본다.

4. 사실 누군가 일터에서 죽고 다친 이야기를 읽는 것은 쉬운 일이 아니다. 내용이 어둡고 슬플 뿐만 아니라 공장마다 일하는 방식이 다양하고 복잡해 이해하기도 쉽지 않다. 하지만 그저 신문이나 뉴스에 한 줄에서 두 줄로 나오는 산재 사고들이 나 그리고 내 가족이 경험할 수 있는 사고라고 생각하면 그냥 넘기지는 못할 이야기들이다.

5. "사고 나기 전에는 내도 솔직히 산재에 대해서 신경 많이 못 썼습니다. 대한민국 어느 부모가 '내 자식이 일하는 데서 죽거나 다쳐서 오면 내가 어떻게 대처해야 하겠다.'' 이런 생각 하고 살겠어요. 뉴스 나오면 남의 일이죠. 그러다가 이게 어느 날 갑자기 내 가족이 피해를 보면 내 일이 되더라는 거죠. "

"저는예, 죽겠더라구요. 애 엄마한테 가서 이 믿기지 상황을 어떻게 얘기해야 할지,, 뭘 어떻게 해야 할지를 모르겠더라고요." 그는 집으로 가서 아내 앞에 꿇어 앉아서 '선호 죽었다'고 말했다. "거짓말하지 말라면서, 아내가 미치더라고요." - 2021년 평택항에서 명을 달리한 이선호씨의 아버지의 인터뷰 중

6. 기브 앤 테이크의 저자 애덤 그랜트 교수님은 장학금 모금 업무를 하는 콜센터 직원들을 대상으로 한 실험을 하였다. A 그룹은 스티브 잡스처럼 일의 시작과 끝, 가치를 느끼게 해주는 집단이었다. 그룹 구성원들은 장학금을 받은 학생들을 만나 5분간 대화를 하면서, 자신이 모금한 장학금이 누구에게 가고, 또 장학금을 받은 학생들

의 삶이 어떻게 변했는지 알도록 했다. B 그룹은 장학금을 받은 학생들로부터 편지를 받게 했고, C그룹은 아무런 이야기 없이 원래 하던 대로 장학금 모금 업무를 진행했다. 결과는 A그룹이 장학금을 받은 학생들과 단지 5분 만났을 뿐인데 성과가 171% 상승했고 한다. 산업재해로 소중한 가족을 잃은 분들의 인터뷰를 보면서 내가 지금 회사에서 하는 일을 더 유의미하게 생각하게 되었다.

7. "가족의 사망을 확인하면 죄책감이 몰려오기도 합니다. '마지막으로 전화했을 때 화내지 말 걸' '아침에 따뜻한 밥 먹여서 보낼 걸', '회사 가기가 싫다고 할 때 그만두라고 할 걸' 등 온갖 후회가 닥쳐옵니다. 그러나 여러분 잘못이 아닙니다. 고인도 여러분이 죄책감을 느끼기를 원하지 않을 것입니다. 우리가 용기를 내야 고인도 명예를 지킬 수 있습니다. "

– 산재 사망사고 유가족을 위한 안내서 <수많은 우리들이 함께 찾는 길>

출처: 오늘도 2명이 퇴근하지 못했다 / 신다은 지음

13 / 행동 변화는 감정을 바꾼다.

1. 행동을 바꾸는 것이 감정을 바꾸는 가장 직접적인 방식이다. 제임스는 어떤 자질을 원하면 이미 그런 것처럼 행동하라는 권고에 따라 가정 원칙 'as if principle' 이라 불린다. 다시 말해 침착해지고 싶으면 침착한 사람처럼 행동하고, 사교적인 성격을 가지고 싶으면 사람들과 어울리고, 결단력을 지니고 싶으면 주먹을 쥐어라. 우리는 마음이 몸에 영향을 미친다는 사실을 안다. 제임스의 주장은 몸도 마음에 영향을 미친다는 것이다.

2. 하버드대학의 사회심리학자인 에이미 커디는 비슷한 맥락에서 신체언어가 정체성을 결정한다는 테드 강연을 했다. 그녀는 현대에 이뤄진 연구에 따르면 가슴을 활짝 펴는 강력한 파워 포즈를 몇 분만 취해도 자신감이 높아지고 성공하는 데 도움이 된다고 말한다. 현대 과학은 이것이 뇌에서 일어나는 호르몬의 변화 때문이라고 설명한다. 그러나 자세가 정신에 영향을 미친다는 개념은 다른

전통, 특히 애초에 몸과 마음을 분리한 적이 없는 전통에서 아주 오래된 것이다.

3. 안전 업무를 하는 사람이라면 일을 하면서 항상 안전 관리자인 나와 내 안의 나 자신과 갈등을 겪는다. 예로 들면 내 성격은 누구 앞에 나서서 발표하는 성격이 아닌데, 전 사원 앞에서 교육해야 하고. 나는 누구에게도 싫은 소리, 잔소리를 해본 적이 없는데, 현장에서 불안전한 행동을 하는 작업자들에게 계속 말해야 하고, 나는 누구와 다퉈본 적도 없는데, 안전은 내팽개치고 무시하는 부서의 팀장과 싸우기도 한다.

4. 그렇게 까지 했는데도 내게 교육을 받은 작업자, 내가 잔소리를 한 작업자가 현장에서 계속해서 불안전한 행동을 하고 안전보다는 자기의 불편함만 호소할 때나, 아무리 싸워도 안전은 우리 현장의 우선순위가 아니라고 계속 생각하는 아직 구시대적인 팀장들을 보게 되면 스스로 한계에 부딪히고 스스로 주눅 들게 된다.

5. 그러다 엎친 데 덮친 격으로 사고까지 나게 되면 내가 매우 부족해서, 아무리 해도 우리 회사는 안된다, 안전을 무시하는 팀장들은 끝까지 변하지 않는다 등의 여러 가지 잡생각이 들면서 우울의 늪에 빠지게 된다. 그렇게 반복되면서 지치게 되고 에이 그냥 그만두고 다른 시스템 좋은 회사에 가서 다시 시작하자 이렇게 결론이 나버린다.

6. 물론 그렇게 떠나버리고 잘 된 케이스도 있을 수 있다 하지만 자존심 상하는 일 아니겠는가? 그냥 힘드니 피해버리는 모습은 또 아닐까?? 나 스스로 잘한 일이라 위로하겠지만 마음 한편은 찝찝하지 않겠는가?

7. 반대로 생각을 전환시켜 정말 내가 이 회사를 바꿀 수는 있지 않을까? 나의 원래 모습은 아니지만 꾸준히 우리 회사의 안전을 위해 불안전한 행동을 하는 작업자에게 잔소리도 하고 고지식한 팀장들과 싸우면서 회사의 안전을 위해서는 리더들이 중요하다는 걸 깨우쳐 주기도 하

면 조금씩 변하지 않을지 하는 긍정적인 생각을 해본다.

8. 에이미 커디의 말처럼 가슴을 활짝 펴는 강력한 파워 포즈로 자신감이 높아지고 성공하는 데 도움이 된다고 한다. 내가 안전 환경팀장이 된 이후로 줄곧 읽었던 리더십 책 중에 가장 기억에 남는 문구가 있는데 "You don't become a leader until you start behaving as one" "리더처럼 행동할 때야 비로소 리더가 될 수 있다." 우리 주눅 들지 말자. 우리의 마음이 곧 행동이 된다.

출처: 리씽크 / 스티븐 풀 지음

14 / 사고 예방을 위해 지속적인 안전 교육과 인간의 행동 특성 이해가 필수적이다.

1. 국어사전에서 사고를 뜻밖에 일어난 불행한 일로 정의하고 있다. 이를 산업안전 측면에서 본다면 " 불안전한 상태와 불안전한 행동으로 의도치 않거나 바람직하지 않은 방향으로 가는 것" 으로 해석할 수 있다.

2. 사고의 결과로 재해가 발생할 수 있고 품질이나 생산 또는 시간적인 손실을 볼 수도 있으며 눈에 보이는 피해가 없을 수도 있다. 안전한 상태는 위험이 없는 상태 또는 위험 원인이 있더라도 인간이 위해를 받는 일이 없도록 대책이 세워져 있고 그런 사실이 확인된 상태를 뜻한다. 단지 재해나 사고가 발생하지 않고 있는 상태를 안전이라고 할 수 없으며 잠재 위험의 예측을 기초로 한 대책이 수립되어 있어야만 안전한 상태라고 할 수 있다.

3. 그럼 어째서 이해되지 않는 사고가 일어나는 것일까? 사고를 분석해 보면 알 수 있듯이 도저히 이해되지 않는 사고가 많다. 이해가 되지 않는 사고, 이를 뒤집으면 사고는 이해로써 해결되지 않는다고 말할 수 있다. 인간의 뇌 구조, 이것이 인간이 불안전한 행동을 하는 핵심이다.

4. 평소에 아무리 안전의식이 강하고 지식이 많더라도 공정에서 어떤 이상이 생기면 이를 해결하는 데 정신을 집중하게 된다. 그러면 두 가지를 동시에 생각할 수 없는 인간 두뇌의 특성상, 안전은 머리에서 없어져 불안전한 행동을 하게 된다. 안전을 아무리 강조해도 24시간 안전을 생각할 수도 없다. 안전에서 15분 이상을 집중하는 것이 구조적으로 불가능할 뿐 아니라, 두 가지 생각을 동시에 할 수 없기 때문에 다른 본연의 업무를 제대로 할 수가 없기 때문이다.

5. 인간은 감각 순응을 하는 동물이다. 감각 순응 이란 자극이 지속되면 수용기의 감수성이 차차 변해서 그 자극

에 상응한 일정한 값에 가까워지는 반응. 즉, 일정한 자극에 지속해서 노출되면 자극에 대한 민감도가 떨어지는 현상을 말한다. 예를 들면 화장실의 불쾌한 냄새가 처음에는 역하게 느껴지다가 몇 분만 지나면 그 냄새를 느끼지 못하거나 온탕에 들어가면 처음에는 뜨겁지만 잠시 후에는 따뜻하게 느끼는 현상을 말한다. 안전 측면에서 본다면, 반복된 행동을 통한 습관화의 순기능도 있지만 안전불감증과 같은 역기능도 있다. 위험물이 현장에 방치되어 있어도 이것이 지속되면 위험을 모르게 되는 것이다.

6. 사업장에 발생한 사고들을 살펴보면 어떻게 저기서 사고가 발생하였을까 미처 생각지도 못했던 장소에서 사고가 발생한다. 정말 이해가 되지 않는 사고들이 많다. 책에서 말했듯이 이걸 반전으로 사고는 이해로써 해결되지 않는다고 생각할 수도 있다. 눈으로 확인할 수 없는 요인들이 많다. 인간의 뇌 구조, 개인의 특성, 사고 당일 심리적인 요인 등 이 모든 것들이 불안전한 행동을 불러일으킨다.

7. 모든 제조, 건설 현장에서 작업 전 업무 지시 및 지켜야 할 안전 수칙을 교육한다. 하지만 인간의 특성상 인간은 기억한 것도 빨리 잊는다. 인간은 20분 후에 42%를 망각하고 1시간 후에는 56%를 망각한다. 그래서 작업 전 당부한 안전 수칙을 지키지 않아 사고가 발생한 것은 작업자의 부주의보다는 관리자가 사람의 기억은 빠르게 잊힌다는 것을 이해하지 못한 데서 온 것으로 생각해야 한다. 그러므로 긴 안목으로 현장의 안전 문화를 정착시키기 위해서는 꾸준히 안전교육을 끊임없이 시행하여야 한다. 감소하는 기억을 장기기억으로 영구히 보존하기 위해서는 반복 학습밖에 없다.

출처: 경영혁신, 안전에서 출발하라 / 김연수 지음

15 / 사고 발생률을 낮게 유지하기 위해서는 적극적인 안전관리, 협력, 위험성 평가가 중요하다.

1. 재해 발생률이 낮은 사업장의 특징은.

1) 사업장 최고 책임자에 의한 적극적인 안전 관리 활동이 실시되고 있다.

2) 안전 관리 담당 인원의 충족과 지식, 경험이 유지되고 있다.

3) 안전 관리에 필요한 경비가 준비되어 있다.

4) 하청 등 협력회사와의 협력과 정보교환이 잘되어 있다.

5) 설비, 작업 위험성의 규모를 평가(리스크 평가)하고 있다.

2. 사고가 일어나면 사고의 원인을 불안전한 행동이라 생각하고 그와 관련된 사람의 부주의와 방심이 항상 지적

된다. 사고가 일어났다는 결과에서 보면 사람의 부주의와 방심이 원인일지도 모르지만, 누구도 부주의나 방심하려고 마음먹고 작업하지는 않는다. 그래도 사고가 일어나 버리는 곳에는 안전 확보의 어려움이 있다. 사고의 마지막 방아쇠를 당긴 당사자를 처벌해도 아무런 문제해결이 되지 않는다. 그 뒤에 숨어있는 배경 요인을 연구하여 바로잡는 것이 필요하다.

3. 작업자의 교육 훈련이 물론 중요하지만, 현장 대응 능력 저하에 대응하기 위해서는 설비, 시스템 면에서 가능한 위험을 줄이는 즉, 사고를 미연에 방지하는 안전 관리가 요구된다. 인간은 사고가 발생하면 정신 차리고 작업에 임한다. 그 결과 재해 발생이 감소한다. 그러나 노동재해 발생률이 감소하면 개개인의 친숙한 곳에서는 사고가 발생하지 않기 때문에 현재 안전 관리 상태가 좋다고 생각하게 되고 안전에 대한 관심이 낮아진다.

4. 코마와 나카무라는 인간이 만든 것에 완벽한 것은 없

다. 항상 위험이 도사리고 있어 안전한 것은 없다.라는 의식을 가지고 일을 대하는 것이 중요하다. 그 의식이 잠재적인 위험에 대한 감성을 움직여 재해 방지로 연결된다.

5. 사고 발생의 요인 4M

1) Man(인간적 요인): 작업자의 심리적 요인, 작업 능력 요인(사람이 오류를 범하는 인적요인)

2) Machine(기계, 설비 적 요인): 기계 설비가 가지고 있는 고유의 요인

3) Media(작업 요인): 작업자에게 영향을 준 물리적, 인적 환경요인(작업 정보, 작업 방법, 작업환경 등이 부적절)

4) Management(관리적 요인): 조직의 관리 상태가 기인하는 요인(안전 관리 조직, 작업계획, 작업 지휘, 안전 법령의 철저, 사내 안전 규칙, 규정의 정비, 교육 훈련 등)

5) Mission(사명): 자신이 하지 않으면 뒤처리가 커진다는 사명감

6. 사고 대책의 4E

1) Engineering(공학적인 대책) : 안전성을 향상하기 위한 공학적인 대책(인간의 불확실성을 제거하기 위한 설비 시스템)

2) Education(교육): 업무 수행에 필요한 지식, 기술, 의식에 관한 교육

3) Enforcement(강제): 업무를 안정적으로 수행하기 위한 개선, 철저(규정화, 평가, 지도)

4) Example(모범): 구체적인 사례를 보여주는 방안(모범사례)

7. 현재 사업장에서 하는 안전 관련 업무를 하면 <안전의식과 안전 공학적 실천 방안>과 같은 안전 관련 책의 내용과 비교할 때가 많다. 책을 읽으면서도 아! 그래 이렇게 해야지 우리 현장이 안전해지지, 맞아! 내가 생각하지 못했던 건데, 당장 적용해 봐야겠다 등등 많은 생각을 하게 된다.

8. 예로 들면 산업안전기사 자격증을 취득할 때 문항으로 나오는 내용인데, 사고 대책의 4E가 무엇이냐는 물음이다. 당시에는 정답 찾는 법을 빨리하려고 외우기에만 급급했던 거 같다. 하지만 지금 업무를 해가면서 사고 대책 4E를 보면 너무 이해된다. 왜냐하면 그것들이 현재 우리가 사고를 방지하기 위해서 하는 것들이기 때문이다.

9. 현장의 불안전한 상태를 개선하기 위해서 공학적인 대책(Engineering)을 만들어서 설비를 개선하고 있고, 작업자의 안전 지식을 키우고 위험이 보이도록 교육(Education)하고 있다. 강제(Enforcement)적인 규정 및 평가를 통해 안전의식을 강화하고 강한 안전리더쉽 을 바탕으로 사고 사례 및 벤치마킹 이 될 수 있도록 예시(Example)를 제시한다. 이 4가지가 모두 적절히 버무려져야지 사고를 미연에 방지할 수 있다.

출처: 안전의식과 인간공학적 실천방안 / 나카무라 마사요시 지음

16 / 안전과 위험은 본능이 아니라 학습의 대상이다.

1. 노동부 재해 알림이 매일 쏟아지고 있다. 이 사고를 매일 교육하기도 벅찰 정도로 사고가 많이 일어나서 당황스럽기도 하다. 현 회사의 공장 건물이 노후화로 인해 누수가 지속해서 발생하고 있어 이번에 큰돈 들여 대대적인 보수를 진행하고 있다. 공사업체 방문 전 안전교육을 진행하려고 교육자료를 만들려고 관련 사고들을 모아 보고 있는데, 노동부 사고 속보를 기준으로 11월 지붕에서만 발생한 사고가 정말 유사한 사고인데도 5건 이상이 된다.

2. 선진국이라는 대한민국에서 그저 일상적으로 일을 하다 사망하는 사람이 이렇게 많다는 사실이 놀랍다. 1980년대 후반 산업재해에 대한 인식이 생겨난 후, 끔찍했던 1990년대를 지나고 수십 년이 흐른 지금까지도 사실상 달라진 것은 거의 없다. 이것이 우리가 여전히 안전에 관

해 공부해야 하는 이유다.

3. 위험은 어떤 식으로 회피할 수 있을까? 한마디로 정의하자면 '안전과 위험은 본능이 아니라 학습의 대상'이다. 모든 사람은 인생에서 맞닥뜨리는 예기치 못한 상황에서 큰 불안감을 느낀다. 하지만 위험을 본능적으로 느낀다고 해서 그것을 저절로 예방하거나 피할 수는 없고, 반드시 학습을 통해 배워야 한다.

4. 안전 문제의 핵심은 노동자와 시민이 근로 현장과 사회에 어떤 위험이 있는지 세부적으로 미리 파악해 참사가 생기기 전에 이를 회피하는 것이다. 따라서 누구나 삶을 유지 하는 공간, 일하는 공간에서 발생할 수 있는 위험을 인지하고 스스로 위험을 개선할 수 있는 활동에 참여해야 한다. 또한, 위험한 상황이 발생했을 때 그 위험을 거부할 수도 있어야 한다. 즉 알 권리, 참여할 권리, 거부할 권리가 주어져야 한다는 의미다.

5. 준비되지 않은 위험에는 큰 비용이 든다. 기업에서는 안전설비를 설치하고, 안전관리자를 두고, 근로자에게 안전교육을 시행하고, 안전 장비를 나눠주는 등의 비용을 부담스럽게 여긴다. 위험을 대비하는데 투자하는 비용은 곧 결과로 나타나지 않으므로 경영자 입장에서는 마치 버리는 비용처럼 느낄 수 있는 것이다. 그렇다면 위험 대처비용이 정말 가치가 없는 것일까?

6. 재해와 관련된 비용을 근시안적으로 바라보면 재해 예방에 투자하는 비용이 다소 과하게 느껴질 수 있지만, 안전에 '만약'은 없다. 생명은 값을 정할 수도 없고 사람을 키우고 사회에서 제 몫을 해내는 숙련된 전문가로 성장하기까지의 사회적 비용까지 고려한다면 더 큰 손실이 발생한다고 생각할 수 있다.

7. 하인리히의 법칙으로 유명한 하인리히가 주장한 재해 예방 활동의 3원칙을 알아보자. 첫째, 위험을 인식하는 것, 즉, 재해 요인을 발견하는 것이다. 둘째, 발견한 '재해

요인을 제거하고 시정하는 것', 위험을 제거함으로써 예방하는 셈이다. 셋째, 이와 동시에 '재해 요인 발생의 예방'이라는 일련의 과정을 반복해서 수행하는 것이다. 이것은 한 번에 끝나지 않으며 유기적 구성을 두고 계속해서 순환한다. 발견, 제거, 시정이 하나의 움직이는 시스템을 갖추면서 점점 더 완전한 안전에 다가가게 된다.

출처: 당신의 안녕이 기준이 될 때 / 권오성 지음

17 / 관심과 호기심이 모든 것의 출발점이다.

1. 미국 브라운 대학교 심리학과 교수인 스티븐 슬로 먼과 인지과학 박사인 필름 베른 백은 <지식의 착각>에서 "사람은 알아야 할 것의 극히 일부만 알면서 많이 아는 것처럼 행동한다" 라고 했다. 어떤 이는 지식을 다음과 같이 2가지로 분류하기도 한다. 하나는 우리가 통상적으로 이야기하는 "알고 있는 것"이며, 다른 하나는 "알고 있으면서 다른 사람에게 설명할 수 있는 내용"과 같이 살아 있고 힘이 있는 것이라고 한다. 안전과 관련한 사건, 사고 후 미디어에서 사고 원인에 대해 언급한다. 예를 들면, 안전 불감증, 규정 원칙에 대한 교육 미 실시, 총체적인 시스템 부재 등을 든다. 근본적인 원인을 규명하거나 대책 제시 없이 '교육 미 실시'로 치부하는 것이다. 이런 이야기를 듣지 않으려면 어떻게 해야 할까? 우리 스스로 "안전에 대해 무엇을 알고 있으며, 무엇을 모르는지"에 대한 냉철한 자기 인식이 필요하다.

2. 현장에서 사고가 발생하면 즉시 사고조사가 이루어진다. 수면 위로 드러나 보이는 사고의 주된 원인은 보통은 작업자의 불안전한 행동에 의해 발생이 된다. (보호구 미착용, 회전체 커버 해제, 규정 무시 등) 왜냐하면 책임소재도 분명하고 가장 시간 낭비 없이 사고조사가 끝나기 때문이기도 하다. 대책으로 안전교육 실시, 보호구 지급 등에 대한 작업자 불안전한 행동의 개선을 대책으로 마련하게 되는데, 눈 가리고 아웅 거리는 사고조사 및 대책 마련은 그 후에도 사고를 계속해서 발생시키게 된다. 사고 발생의 순환이다.

3. 내가 생각하는 안전 관리는 책임소재와 상관없이 안전 이슈는 무조건 수면 위로 올려 개선하려고 노력해야 한다. 사고 조사를 하다 보면 모든 부서에서 본인 부서의 잘못인 거 같이 느껴지면 숨기려 하거나 사고를 유발한 작업자의 잘못으로 사고 원인을 몰아간다. 안전은 우리 모두의 책임이다. 안전은 나로부터 시작된다. 분명 작업자가 불안전한 행동을 하게 된 원인을 모든 부서가 관심을 가지고 찾아야지 불확실한 미래의 사고를 예방할 수 있

다. 위험을 보는 것이 안전의 시작이다.

4. 가장 큰 잘못은 의식하지 않는 것이다. 본다고 보이는 게 아니고, 듣는다고 들리는 게 아니다. 관심을 가진 만큼 알게 되고, 아는 만큼 보이고 들리게 된다. 관심과 호기심이 모든 것의 출발점이다.

5. 이 책에서는 신(信) 해(解) 행(行) 증(證)의 안전 관리를 풀어서 기본적인 설명을 하고 있는데, 안전 관리를 담당하고 있거나 관리감독자 또는 안전 관리 책임자가 읽으면 상당히 유익한 내용들이 많고 책에 나오는 이론 및 내용을 바탕으로 안전 관리를 전개해 나가고 싶은 마음이 들 정도였다. 신(信)의 안전 관리 (진리를 믿고 의심하지 말며), 해(解)의 안전 관리(진리의 말씀과 그 내용을 알려고 노력하며),

행(行)의 안전 관리(아는 것을 실행으로 옮겨라.), 증(證) 안전 관리(비로소 깨달음이 열린다)

6. 당신의 행동이 습관이 되고, 습관이 당신의 가치가 되면, 가치가 당신의 운명이 된다. – 마하트마 간디

너무 유명한 명언인데, 안전에 적용시켜 보면 직원들이 현장 내 위험을 보이게 하기 위해서는 어떠한 것이 위험인지 관심을 가질 수 있게 하고 알려 줘야 한다. 안전 교육을 실시해야 하는 주된 이유가 그것이고 법적인 사항은 차후의 문제다. 그리고 아는 것을 실행에 옮겨 본인의 안전을 지킬 수 있도록 해야 한다. 의도적인 안전한 행동이 습관이 된다면 그것이 안전하게 회사에 다닐 수 있는 본인의 운명이 될 것이다.

7. 안전에 대해 실제로는 제대로 알지 못하면서 행동하는 것 이야말로 조직에서 가장 위험한 상황이다. 이는 방법의 문제다. 이런 사람에게는 올바른 노하우나 전문 기술을 전달해 주어 숙련도를 향상하는 식으로 방법을 습득하도록 조직적인 지원을 해주어야 한다. 안전에 대해 알지만 실행하지 않는 것은 태도의 문제다. 이를 개선하려면 왜? 라는 질문에 답을 하게 하는 등 긍정적으로 변하도록 지속해서 노력하게 해야 한다.

8. 따라서 안전에 대한 실행의 속도를 높이려면 단순히 지식을 인풋 하기에 앞서 우리 조직의 현 수준에 대한 정확한 현실 인식이 선행되어야 한다. 아울러 위에서 언급한 바와 같이 '지식 – 방법 – 태도'로 구분된 상세한 실행 전략도 수립해야 성과를 신속히 올릴 수 있다.

출처: 4차 산업혁명시대 안전여행 / 이승배 지음

18 / 편안할 때 위기를 생각하는 지혜를 빌리자.

1. 먼저 우리 주위를 둘러보자. 회사를 보면 부족한 것을 알면서도 그냥 부족한 채로 지내겠다는 사람들이 의외로 많다. 자기 건강에 문제가 있으면 그날 당장 운동을 시작하고 자녀의 성적이 조금만 떨어지면 좋은 학원부터 수소문하면서 회사 문제에는 천하태평이다. 이런 사람들은 일이 잘못되고 있는 걸 발견해도 그대로 덮어두곤 한다. 문제가 눈덩이처럼 불어날 것을 뻔히 알면서도 나서서 일을 만들기 싫은 것이다.

2. 망한 회사들, 적자를 내고 무너진 기업들은 하나같이 직원들이 이기주의에 빠져 있었다. 어느 회사를 가든 이 회사가 잘 되는지 아닌지 알 수 있는 몇 가지 단서가 있다. 복도에 휴지가 떨어진 채 그대로 있다면, 공동으로 쓰는 기기가 고장 난 채 어수선하게 방치돼 있다면 그 회사의 앞날은 뻔하다.

3. 내경험에 비춰봐도 적자를 내는 기업이나 실적이 형편 없는 지점, 영업소에 가보면 화장실, 탕비실, 휴게실, 쓰레기통 주변 등이 하나같이 지저분했다. 현장 몇 곳을 보면 그 조직의 결속력이나 저변에 흐르는 의식을 알 수 있다. 배려하고 아끼는 팀 정신 말이다. 리더가 현장에서 수시로 소통하고 궂은일도 솔선수범하는 정신이 없으면 팀원들의 움직임도 제 각각이다. 쓰레기통에 쓰레기가 넘쳐도 그냥 지나친다.

4. 리더나 해당 간부가 현장 간부가 현장을 돌며 팀원들을 챙기고 있지 않다는 것이다. 팀원들도 팀과 내가 별개이고 내일이 아니라고 생각하게 된다. 유니클로와 H&M은 패스트 패션으로 세계 의류업계에서 돌풍을 일으키며 성장하고 있는 기업이다. 이 두 회사의 공통점은 인재 중심, 인재 육성이다. H&M은 훗날 나를 잡아먹을 호랑이가 될지라도 내 자리를 대신한 NEXT ME를 키우라고 한다. 유니클로는 인재를 키우지 못하는 사람은 그 자신도 결코 클 수 없고 리더에 오를 수 없다. 선임이 후임을 육성하고 점쟁이 점점 후보들을 육성하는 강한 문화를

구축하고 있다.

5. "거안사위 (居安思危) " 편안할 때 위기를 생각하는 지혜를 빌리자. 진짜 위험이 닥치기 전에 인위적으로 위기 상황을 가정해 대응 전략을 만들어 두어야 한다. 민방위 훈련하듯 대비 훈련을 하는 것도 방법일 것이다. 무재해를 달성하는 공장은 사고가 발생하지 않고 있기 때문에 우리는 현재까지 안전하게 일하고 있다는 착각을 하게 된다. 그러다가 사고가 나면 다시 재발 방지를 위해 온 힘을 쏟다가 사고가 나면 또다시 재발 방지를 위해 여러 노력을 한다. 안전 업무를 하면 이 패턴은 사고의 경중에 따라 조금은 다르겠지만 반복이다.

출처: 답을 내는 조직 / 김성호 지음

19 / 산업안전에서 빅데이터 활용은 사고 예방에 중요한 역할을 한다.

1. 글로벌 혁신 기업들은 데이터 분석과 비즈니스를 동일 선상에서 생각한다. 비즈니스의 목적을 해결하기 위해 데이터를 가공해 직접 성과로 연결하는 것이다. 빅데이터의 성패는 데이터양이나 하드웨어의 사양에 달려 있지 않다. 성패를 결정짓는 것은 바로 데이터를 수동적으로 보고 자료 등에만 사용하느냐 아니면 적극적으로 문제 해결 목적으로 활용하느냐 여부이다. 4차 산업혁명과 더불어 빅데이터의 중요성이 많이 대두되고 있다. 이 빅데이터는 우리 현장의 안전 관리에도 중요하게 사용될지 모른다. 오직 비즈니스 경영을 위한 활용이 아니라 사고 예방에도 적절하게 적용이 가능하다.

2. 매년 노동부에서는 도, 시 별 사망자 비율, 사고 종류, 사고 기인물 등에 대해 통계를 발표한다. 이것 또한 빅데이터의 한 가지가 아니겠는가.

2014년 4월 16일 인천에서 제주로 향하던 세월호가 전남 진도 인근 해상에서 침몰하면서 승객 300여 명이 사망 및 실종된 대형 참사가 일어났다. 이 사고가 아무런 전조 없이 갑자기 발생했을까? 만약 사건이 무작위로 발생한다면 막을 수 없다. 인간이 신이 아닌 이상 미래를 알 수 없기 때문이다. 그러나 모든 사건 사고는 선행 속성이 있기 마련이다. 이러한 선행 속성을 분석하면 사고를 예방할 수 있다. 중요한 점은 단순히 예측에 몰두하는 것보다도 그 원인을 찾아서 예측해야 훨씬 정확하다는 것이다. 더 나아가 그 원인을 사전에 해결하는 것이 데이터 분석의 궁극적인 지향점이다.

3. 수많은 사고 통계를 접했던 하인리히는 산업재해 사례 분석을 통해 통계 법칙을 발견했다. 그것은 바로 산업재해로 중상자가 1명 나왔다면 이전에 동일한 원인으로 생긴 경상자 29명, 동일한 원인으로 부상을 당할 뻔한 잠재적 부상자가 300명 있었다는 것이다. 이 1:29:300 비율을 하인리히 법칙이라고 한다.

4. 이것이 빅데이터 예측 분석에 시사하는 바는 무엇일까? 사고가 발생하는 데는 원인 요소들에 기인한 일련의 과정이 있다는 것이다. 잠재적 부상자 및 경상자 발생의 원인 요소 하나하나가 차후 중상자 발생의 원인으로 결합한다. 따라서 빅데이터 예측 분석 시 원인 요소를 유형으로 분류해 데이터로 관리하면 사고를 사전에 예방할 수 있다. 안전에 조금이라도 관심이 있는 사람이라면 하인리히 법칙을 모르는 사람은 없을 것이다. 이미 하인리히는 빅데이터와 근접하게 분석하여 1:29:300의 비율을 만들어낸 게 아닐까?

5. 혹시 근무하고 있는 사업장의 사고 및 사고 발생원인, 유형, 발생 장소, 사고 부서 등의 통계를 내는 작업을 자체적으로 하고 있는가? 내가 근무하고 있는 사업장의 사고 데이터는 마이크로소프트 BI(Business Intelligence)로 분석하고 있다. 사고 기인물, 사고 발생 월, 사고 발생 요일, 발생 공정에 대한 20년간 자료이고 해가 지나면 데이터는 업데이트가 된다. 특히 사고 발생이 잦은 월, 요일 그리고 공정이 눈에 띄게 되는데, 안전관리를 하더라도

그쪽에 좀 더 집중하면 된다는 결과가 나온다. 통계적 개념이다. 그래서 사업장 내 안전을 책임지고 있는 부서 및 관리자는 산업안전보건법에 대한 법적인 사항 뿐만 아니라 경영 분야에 관한 공부도 겸해야 업무를 하는데 시너지를 낼 수 있다.

6. 빅데이터의 적절한 적용의 성패는 데이터양이나 하드웨어의 사양에 달려 있지 않다. 성패를 결정짓는 것은 바로 데이터를 그저 보고용으로 활용하느냐 아니면 문제해결을 위한 활용이냐 여부인 거 같다.

출처: 빅데이터 전쟁 / 박형준 지음

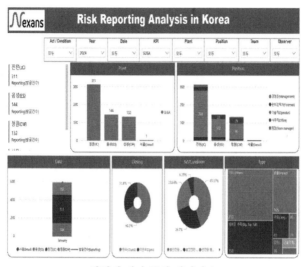

위험성 평가 분석 데이터 1

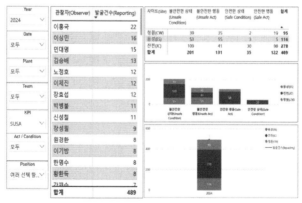

위험성 평가 분석 데이터 2

20 / 인간의 기억은 오래 지속되지 않는다.

1. 제조 현장에서는 행동하고 실행하는 것이 우선시 된다. 실제로 실천해 보고서야 좋았어! 이걸로 됐어! 느낄 수 있기 때문이다. 인간은 실천하기 전부터 실패를 걱정하거나, 현재 상태에서 변화하는 것을 두려워하기 쉬운데, 그래서는 곤란하다. 먼저 행동 실천을 한 뒤에 새로운 발견이나 경험하는 것이 정답이다. 관리자는 실패를 두려워해서는 안 되며 부하직원에게 도전할 수 있도록 장려하는 것이 중요하다. 그때에는 아무리 실패해도 부하를 꾸중해서는 안 된다. 화를 내면 부하 직원은 의욕을 잃고 두 번 다시 도전하려고 하지 않기 때문이다.

2. 제조업이라면 나라 상관없이 일본의 도요타에서 벤치마킹을 많이 한다. 품질, 생산관리 측면에서 두드러진다. 이 책은 사업장의 효율적인 관리에 내용이지만 안전의 시각을 가지고 책을 보더라도 고개를 끄덕이게 만든다. 비즈니스에서 통하는 내용이 안전에도 투영시킬 수 있다

는 말이 아니겠는가.

3. 회사의 경영자나 관리자가 파악해야 할 회사와 종업원의 실태에 대해서 3가지로 정리를 했는데,

 첫 번째, 회사의 방침 목표는 제일 아래 계층까지 전달되지 않는다.

 두 번째, 상사의 방침, 목표는 지시는 제일 아래 계층까지 전달되지 않는다.

 세 번째, 상사의 지시 말은 금방 잊힌다.

회사의 목표는 전원이 항상 이해할 수 있는 상태를 유지해야 하는데 이는 가시화 경영을 해야 한다는 말이다. 가시화 경영은 단순히 문자로서 배포하는 것만이 아니다.

4. 가시화 경영이 이루어지기 위해서는 가시화되는 기회를 늘려야 한다. 작업 중이나 휴식 시간 등에도 쉽게 눈에 띌 방법들을 모색한다. 한번 봐서 알 수 있도록 하기 위해

번호를 매기거나 그림으로 알기 쉽게 표현한다. 그리고 시간별로 주의해서 가시화한다. 시간, 일, 주, 월 단위로 변화나 달성 상황을 알 수 있도록 하고 가시화의 게시판 앞에서 미팅한다. 그렇다면 스스로 질문을 해보자. 직원들이 회사의 안전 목표에 대해서 알고 있는가? 모른다면 안전 목표를 전 직원에 전파하려면 어떻게 해야겠는가? 아니 혹시 안전 목표가 없는 건 아니겠지?

5. 인간의 기억은 오래 지속되지 않는다. 한 사례로 조례 현장 작업에 필요한 주의 사항을 전달했다. 그러나 주의할 것이 지켜지지 않고 사고가 발생했다. 이것은 작업상의 주의 사항을 들었던 작업자의 부주의일까? 관리감독자들은 어떻게 하면 좋았던 것일까? 포인트는 인간은 기억한 것도 빨리 잊는다는 것이다.

6. 인간의 기억에 대한 에빙 하우스의 망각곡선이 있다.

인간은 20분 후에 42%를 망각하고 1시간 후에는 56%를 망각한다. 조례에서 지시한 것이 지켜지지 않았다는 것은 듣는 쪽의 부주의보다는 관리자가 사람의 기억은 빠르게 잊힌다는 것을 이해하지 못한 데서 온 것이므로 중요한 지침은 문서로 작성, 전달할 필요가 있다. 즉, 가시화 경영, 시각적인 안전 관리가 필요하다는 의미이다. 그래서 어떤 공장에서는 2시간마다 미팅을 실시하여 지시나 주의를 철저하게 주지시키고 있다. 나는 안전교육의 힘을 믿는 사람 중의 한 명이다. 긴 안목으로 현장의 안전 문화를 정착시키기 위해서는 계속된 안전교육으로 인간의 감소하는 망각 곡선을 상승하게 만들 수 있다.

출처: 도요타 강한 현장의 비밀 / 호리키리 토시오 지음

21 / 조건에 구애 받지 않는 정신력이 필요하다.

1. 땅벌과 닭 중에서 누가 하늘을 날 수 있는 조건을 갖추었다고 생각하는가? 땅벌이라고 생각하는가? 하지만 땅벌 은 생물학적으로 날 수 없는 존재라고 한다. 왜냐하면 몸의 크기에 비해 날개 가 너무 작기 때문이다. 그런데도 땅벌 이 조건을 따지지 않고 하늘을 나는 이유는 살기 위해서이다. 그에 반해 닭 은 날지를 못한다. 많은 생물 학자들이 아무리 분석을 해봐도 닭 이 날지 못하는 이유를 찾을 수 없다고 한다 즉 닭 은 조건으로는 충분히 날 수 있지만 실제로는 날지를 못한다 과연 왜 그럴까? 그 이유 는 바로 닭 스스로가 날아야 할 이유를 찾지 못했기 때문이다. 즉, 날 수 있는 능력을 스스로 포기한 것이다.

2. 혹시 우리 안전인들도 이런저런 조건을 핑계 삼아 안전 이 힘들어서 못하겠다고 포기를 하지 않는가? 지금 조금 힘들더라도 안전 관계자들에게 당장 필요한 것은 땅벌과 같이 나에게 주어진 조건보다는 ' 정신력'이라고 생

각한다. 외부의 열악한 환경에서 무더위와 싸워 가면서 묵묵히 일을 하는 근로자분들이 있기에 우리가 존재하듯이, 그분들의 소중한 생명을 지켜 내기 위해서 프로 정신으로 무장하여 우리가 나갈 길이 고단하고 힘들더라도 끝까지 최선을 다해 걸어 가야겠다.

3. 안전 업무를 하다 보면 네이버 카페나 밴드에 가입하여 업무 관련해 많은 정보도 얻고, 걱정이나 개인 고민도 공유한다. "안전 업무를 혼자 하기에 너무 벅차요", "사고 방지를 위해 열심히 뛰어다녀도 사고가 발생해서 너무 힘들어요", "사고가 나면 다 제 책임으로 돌려요", "안전은 담당자인 저 혼자 신경 쓰지, 다른 부서에서는 신경도 안 써요", "관리감독자가 말을 안 들어서 제가 직접 현장에서 뛰어다녀요" 등의 대부분이 안전 업무에 대한 부정적인 피드백들이다. 반면에 긍정적인 피드백은 언제 들은 적이 있나 기억이 가물가물하다.

4. 현재 나도 근로자가 출근해서 안전한 환경에서 작업하

고 온전한 모습 그대로 퇴근해서 그들의 가족들과 행복한 시간을 보낼 수 있게 많은 노력을 하고 있지만 업무를 하는 한 여러모로 힘든 일이 많았다. 앞으로 많을 거라고 예상하지만 버틸 수 있는 건 나 스스로의 마인드 컨트롤이라고 생각한다.

5. 주변의 환경이 그 힘듦을 괜찮게 만들어 줄 수는 없다.

산업현장에서 안전 및 보건관리자로 살아간다는 것은 다른 직업에 비하여 보람이 있는 직업이라고 생각한다. 살아있는 사람을 살려야 하는 사명감과 책임감 등으로 인하여 무척 힘든 직업일 수도 있지만 나로 인하여 다른 사람의 생명을 지켜낸다는 보람이 있는 직업이기 때문이다. 그런데도 산업현장에서 안전 및 보건관리자의 현실은 계약직 등의 복지 및 근무 환경이 나약한 것이 현실이지만 그렇다고 불만만 외치지 말고 우리의 본업을 찾아 떠나야 한다.

6. 지금 내가 가지고 있는 길은 누가 시켜서 아니라 스스

로 선택한 길이기에 묵묵히 우리가 지켜야 할 본업을 하다 보면 언젠가는 기회가 찾아올 것이다. 그때를 위해 열정을 가지고 노력과 도전을 통해 미리 준비해야만 한다. 그 자리에 주저앉아 있으면 기회가 찾아와도 그것이 기회인지도 모르고 지나치기 때문이다.

7. 세상의 기준에 나를 맞추지 말고 내가 가진 안전 마인드로 세상이 원하도록 나만의 방법으로 관계자들과 소통해야 한다. 지도에는 이미 나와 있는 길만 있지만 아직 발견되지 않은 길이 더 많다. 내가 가면 바로 그곳이 길이 되고, 모든 것에 최고와 최초를 만들어 보기 위해 매일 나만의 길을 만들어 투자하고 도전하다 보면 반드시 안전인지 존경받는 시대가 올 것이라 믿는다.

8. 나만의 안전 마인드가 있는가? 나만의 업무적 동기가 있는가? 왜 그 업무를 하고 있는가? 스스로 질문해 본 적은 있는가? 그거보다 안전 업무를 하면 성장하기 힘들다, 안전 업무 그만두고 다른 업무로 갈아타야지, 경력 조금

만 쌓고 이직 해야지 등 스스로 현재의 환경을 벗어나기 위한 생각을 하지는 않는가? 무엇이든 우리가 상상하고 마음먹은 대로 해낼 수 있다고 나는 생각한다. 하지만 생각만으로 저절로 이루어지는 건 절대 없다.나의 마음 먹은 상상이 계획을 만들고 그 계획대로 행동하게 되면 이루어질 수 있다.

9. 안전도 마찬가지다. 내가 안전환경팀장으로 선임되고 이루어야겠다 다짐한 것이 현장 내 자율안전의 정착이다. 그래서 안전 계획부터 안전 활동에 이르기까지 그런 콘셉트로 실행하고 있다. 부서, 근로자 자신의의 안전은 본인이 지키고 관리한다는 생각이 퍼지게 되면 사고는 저절로 발생하지 않는다고 생각한다. 그렇게 되면 안전 환경팀은 없어도 되지 않을까? 이게 정말 적절한 나의 이직 사유가 아닐지 생각한다.

출처: 안전은 사람이다 / 강부길, 김수연 지음

22 / 안전 관리에도 디지털 화가 필요하다.

1. "디지털 시대에 우리는 우리 자신을 디지털 시민으로 생각하고 디지털 도구를 사용하여 우리의 삶을 더 쉽고 효율적으로 만들어야 합니다." - 브라이언 솔리스

2. 1532년 11월 16일, 프란시스코 피사로가 이끄는 168명의 스페인 군대는 남아메리카의 카하마르카에서 8만 명의 잉카 군과 맞선다. 그리고 순식간에 스페인군은 잉카 원주민 7000여 명을 학살하고 그들의 황제 아타우알파를 생포한다. 건국 90년 된 제국의 싹을 싹둑 잘라버리게 되는 스페인과 잉카의 첫 충돌, 1000만 인구를 거느린 잉카는 정말 168명밖에 안 되는 소수의 스페인군에 의해 멸망을 했다. 찬란한 문명을 꽃피운 잉카는 정말 저항조차 할 줄 모르는 어리석은 부족이었을까?

3. 스페인 사람들이 잉카로 간 까닭은 순전히 황금 때문

이다. 잉카의 불운은 그들이 갖고 있던 황금과 은이 우연히도 16세기 유럽의 통화 단위와 똑같았다는 데 있었다. 당시 선원들의 1년 평균 임금은 금 2분의 1파운드였다. 바다에서 20년 동안 뼈 빠지게 고생하면 금 10파운드를 받을 수 있었다. 그런데 신세계 정복 전쟁인 카하마르카 전투에 참여했던 기병이 금 90파운드와 은 180파운드를 하사 받았다. 일반 선원의 180년 치 봉급이었다. 그들에게 '정복'이란 모험의 문제가 아니라 일확천금을 벌 수 있는 인생역전의 '대박 사업'이었다. 사람을 살해하고, 재물을 약탈하고, 문명을 파괴하는 그들은 무기를 손에 든 기업가였다.

4. 구두 수선공, 재단사, 선원, 대장장이, 목수, 상인 등 당시 스페인의 낮은 신분계층에 속했던 사람들에게 잉카 원정은 로또나 다름없었다. 그중 대표적인 인물이 프란시스코 피사로(1478~1541)다. 기마대 대위였던 아버지와 정식으로 결혼하지 않은 하녀 출신 어머니 사이에서 태어난 피사로는 장남이었지만 공식적인 교육을 받지 못했으며 아버지의 소유지도 물려받지 못했다. 출생의

상처와 아버지 집에서 살고 싶었던 무의식적 욕망은 그의 발걸음을 필연적으로 신대륙으로 향하게 했다.

5. 탐험가로부터 잉카 제국 이야기를 들은 피사로는 1532년 11월 15일 168명을 이끌고 카하마르카에 도착했다. 다음날 피사로는 대군을 배후에 남겨둔 채 5000명만을 데리고 피사로와의 회견을 위해 찾아온 아타우알파 황제를 포로로 잡은 채 그의 군대를 전멸시켰다. 스페인군은 한 명의 사망자도 없었고, 30분 만에 끝났으니 싸움이라고 하기보다는 대량 학살이었다. 아타우알파한테 몸값으로 방 한가득 황금을 받은 피사로는 황금만 챙긴 뒤 2~3개월 뒤에 그를 처형했다. 이듬해 11월 피사로는 한 번의 대접전도 없이 잉카의 수도 쿠스코에 무혈 입성했다. 장장 4000km가 넘는 대륙에 1000만 명이 넘는 인구를 가졌던 잉카가 허무하게 몰락한 이유를 네 가지 부재 때문으로 설명한다.

첫 번째, 남미에는 불행히도 소와 말 같은 유럽에는 흔한 가축이 없었다는 점이다. 오랫동안 가축과 생활해 온 유럽인들은 동물성 전염병에 대한 면역력이 있었으나 신대

류 사람들은 그게 없어 유럽인들이 들여온 새로운 병에 걸려 목숨을 잃었다는 것.

두 번째는 강철과 총의 부재다. 잉카에는 금광과 은광만 넘쳤을 뿐 무기로 쓸 철을 캐낼 만한 철광이 드물었다. 잉카 전사들이 아무리 용맹해도 구석기 수준의 돌 무기만으로 총칼로 무장한 유럽인들의 화기를 막아 내기에는 역부족이었다.

세 번째, 잉카인들에게는 문자가 없었다는 점이다. 그들은 '키푸'라는 밧줄과 끈의 매듭으로 소규모 정보를 기록하는 게 전부였다. 따라서 잉카인들은 스페인의 멕시코·카리브해 연안 점령 등 국경선 너머 세상에서 일어나는 일이 대해 아는 게 거의 없었다. 정보량 부족과 소통 부재는 우물 안 개구리 신세와 같았다.

네 번째는 중앙집권 체제가 채 갖춰지지 않았고, 갑작스레 대제국을 건설한 잉카족의 폭정에 시달리며 조공을 바치던 수많은 부족들이 스페인 군대에 협력, 반 잉카의 선봉에 선 점이다.

종합해 보면 잉카 제국의 몰락은 정보 부족과 소통부재

에 따른 우물 안 개구리였고, 직접적으로 싸울 수 있는 강철과 총과 같은 적절한 도구의 사용이 없었다.

6. '역사는 반복된다' 라는 말이 있다. 살다 보면 항상 세상은 반복이라는 것을 느끼게 된다. 구세대가 경험한 실수와 성공의 사실들을 신세대들은 똑같이 답습한다. 아무리 구세대가 자신의 경험담을 신세대들에게 알려주어도. 그들은 실제로 경험해 보기 전까지는 그 경험들을 애서 무시하거나 모르고 있다. 역사는 되풀이되는데 이를 항상 예측하지 못하는 우리는 얼마나 경험에서 배울 줄 모르는 존재인가.

7. 1980년~2000년 사이에 태어난 세대를 우리는 디지털 네이티브 세대라고 말한다. 이들은 디지털 기술과 함께 자라 디지털 기술을 익숙하게 사용하고 능숙하게 사용하는 세대를 일컫는 말이다. 이들은 컴퓨터, 스마트폰, 인터넷이 이미 어디에나 있는 세상에서 태어나 평생 동안 이러한 기술에 접근하면서 성장하였다. MZ세대 이전

과 이후의 Gap차이의 중심에는 디지털 도구의 사용이 있다. 모든 생활이 디지털화가 되어 있는 MZ세대는 그 이전 세대보다 다양한 정보를 습득하여 이를 활용하고 창의적으로 접근을 한다.

8. 그렇다고 이들을 이해하기 위해 디지털을 무조건적으로 배워야 된다고 설득하려는 것이 아니다. 하지만 코로나 발생 이전과 이후를 비교해서도 가장 두드러지는 변화는 디지털 도구 사용의 필요성이라는 것을 우리는 인정해야 한다. 코로나 이후 많은 조직들이 디지털 기술을 모든 비즈니스 영역에 통합시켜 고객 서비스 방식을 근본적으로 바꾸기 위해 적용하는 디지털 트랜스 포메이션을 검토하고 실행하고 있다.

9. 1000만 명이 넘는 잉카제국이 200명도 안 되는 스페인 군대에 점령당한 이유가 도구의 사용에 있다. 현시대에 잉카제국의 아타우알파 황제가 되지 않으려면 내 모든 생활과 일을 디지털 화하는 노력을 해야 한다. 그게 바

로 퍼스널 디지털 트랜스 포메이션이다.

10. 안전 업무를 하면 뭐 꼭 안전 업무를 국한하지 않고, 디지털화(Digitization) 되는 현재 흐름에 맞춰서 내 업무에 필요한 디지털 도구는 기본으로 잘 다뤄야 한다. 그게 무엇이든 간에 내 업무 생산성에 도움이 되는 것이라고 하면 자유자재로 사용하면서 내 역량을 펼친다면 현재에 안주하고 있는 다른 사람들보다 좋은 기회는 얼마든지 올 것이다.

11. 한때 업무 생산성 도구에 빠져서 여러 가지 생산성 애플리케이션이나 오피스 365내 프로그램, 구글 등 이것저것 적용해 가면서 내 업무에 맞게 시험 사용해 보면서 지금은 적극 활용하고 있다.

12. 근골격계 유해 요인인 조사를 예로 들면, 산업안전보건법 제24조 제1항 5호에 따라 사업주에게 보건상의 조

치로 단순 반복 작업 또는 인체에 과도한 부담을 주는 작업에 의한 건강장해 예방 의무를 부과하여 근골격계 부담 작업이 있는 부서의 유해 요인을 시키는 데 목적을 을 두고 사업장에서는 3년에 1회 의무적으로 실시하여야 한다. 그 시작은 직원들의 증상 설문조사를 시작하는데, 나 같은 경우에는 구글 설문지를 이용한다. 예전에는 직원이 100명이면 100장의 설문지를 프린트해서 일일이 나눠주고 다시 걷어서 그걸 다시 취합하는 과정을 거치는데, 하면서도 너무 비효율적이고 시간 낭비라는 생각을 많이 했다.

13. 지금은 구글 설문지로 증상 조사표를 만들어 직원들 스스로 스마트 폰으로 설문지를 작성해서 제출하면 자동으로 취합되므로 업무적인 생산성은 월등히 높아졌다. 이건 내가 디지털 도구인 구글 설문지를 업무에 활용하였기 때문에 가능한 일이다.

(온라인 설문지는 구글 외에도 많음. 예. 오피스365…)
구글 설문지를 모르거나 구글 가입조차 안 한 사람이라면 영원히 할 수 없는 일이다.

14. 디지털 도구를 활용한 업무는 무궁무진하다. 현장과 연관되어 있는 안전 업무라고 무조건 발품 팔아야 된다고 생각하는 고지식한 사람도 분명히 있을 거다. 하지만 조금의 노력으로 더 큰 기회나 이익이 온다면 마다할 사람이 있을까?

출처: 2010년 1월 8일 자 뉴스 세계일보 '잉카제국은 왜 허망하게 무너졌나'

23 / 부드러운 개입으로 작업자의 안전한 행동을 유도할 수 있다.

1. "인생은 B와 D 사이의 C다" – 장 폴 사르트

태어남 (Birth)과 죽음 (Death) 사이에 선택(Choice)이 있다는 말이다. 우리는 살아가면서 하루에도 수십 번이 넘는 선택의 기로에 놓인다. 이때 우리는 늘 옳은 선택을 하고자 노력한다. 그러나 선택을 할 때 기반이 되는 모든 생각들은 의식적으로 이뤄지지 않는다. 깨닫지 못하는 사이에 무의식적으로 무언가를 선택하도록 유도되어 결정을 내리게 된다. 사실, 이것은 주변환경의 자극이 우리의 선택과 행동에 영향을 미친 것이다. 이러한 행동을 심리학과 행동경제학 분야의 용어로 '넛지(Nudge)'라고 한다.

2. '넛지' 란 인간 행동에 미묘한 방식으로 타인의 행동에 영향을 미쳐 변화시킬 수 있는 심리학적 접근 방식을 말한다. 넛지(Nudge)의 사전적 뜻은 팔꿈치로 슬쩍 찌르다,

쿡 찌르다는 의미를 가지고 있다. 이처럼 작은 행동으로 어떤 행동을 유도해 낸다는 뜻이다. 넛지는 단순히 디자인적 변화나 문구 등의 작은 변화로도 사람들의 행동에 큰 변화를 일으킬 수 있고, 개인의 선택을 제한하지 않으면서도 원하는 방향으로 유도할 수 있다. 예를 들어, 치약을 사용할 때 뚜껑을 열어 두면 사용하기 쉬우므로 사람들이 치약을 자주 사용하게 되고, 냉장고 안에 과일을 놓아두면 사람들이 더 많은 과일을 먹게 된다. 따라서 이 넛지는 소비자나 시민들이 더 나은 선택을 하도록 유도하고자 할 때 유용한 방법 중 하나이다.

3. 이 넛지를 적용해서 사람들의 올바른 행동을 유도하는 여러 사례를 모아봤다.

첫 번째, 소변기의 파리 스티커.

네덜란드 암스테르담 국제공항의 남자화장실에는 소변을 소변기 밖으로 흘리지 말자는 표어가 붙어 있었다. 하지만 별 효과가 없자 공항은 소변기 배수구 근처에 파리 한 마리를 그려 넣었다. 그랬더니 밖으로 튀는 소변량이

80% 감소됐다고 한다. 소변을 보는 남성들이 자연스럽게 파리를 조준(?)했기 때문이다. '하지 말라'는 경고나 '파리를 맞추라'는 강요 없이 단지 파리 모양 스티커를 붙임으로써 재미에 이끌리는 사람의 심리를 십분 활용한 넛지다.

두 번째, 공중에 떠 있는 듯한 착시현장 3D횡단보도.

아이슬란드의 한 횡단보도에는 일반 횡단보도와는 달리 횡단보도가 공중에 떠있는 듯한데, 보이는 것과 달리 이 횡단보도는 착시현상을 이용한 3D 횡단보도이다. 운전자들의 과속을 막기 위한 아이디어로 공중에 떠있는 횡단보도를 보고 운전자들이 속도를 낮추며, 과속운전을 막는데 큰 역할을 한다.

세 번째, 환경미화원 스티커.

서울 마포구 지하철 2호선 홍대입구역과 합정역에 23cm 크기의 환경미화원이 나타났다. 바로 환경미화원 모습의 스티커인데, 환경미화원이 손을 뻗어 근처에 쓰레기통이 있는 곳을 알려준다. '사람들이 쓰레기통이 어디 있는지 몰라서 버리는 게 아닐까?'라는 생각에서 새로운 관점으로 접근해 쓰레기통의 위치를 알려주는 스티커를 제작했다. 평소에 쓰레기를 함부로 버리던 사람들이 환경미화원 스티커를 보고 쓰레기통에 버리면서 길거리가 이전보다 깨끗해졌다.

네 번째, 손을 씻으면 나오는 장난감.

남아프리카 공화국의 한 비영리기관에서는 비위생적인 환경에 사는 어린이들을 위해 캠페인을 진행했다. 손 씻기가 제대로 이뤄지지 않아 질병에 노출되는 어린이들을 위해 비누를 제공하는 것이었는데 비누 안에 장난감을 넣어 놓았다. 아이들이 비누를 사용해 손을 씻을 때마다 비누가 닿으면서 장난감을 가질 수 있도록 하는 손 씻기 캠페인이었다. 손을 깨끗이 씻으라고 강요하지 않고, 비누에 장난감을 넣어 어린이들의 손 씻기를 자연스럽게 유도했다.

다섯 번째, 분리수거 게임기.

분리 수거함이 놓여있어도 일일이 구분해 넣는 일엔 수고가 든다. 자동차 회사 폭스바겐에서 실험한 일명 '분리수거 게임기'는 재활용 공병을 분리하는 일에 '게임'이라는 넛지 효과를 접목했다. 분리 수거함 구멍에 불이 들어올 때마다 페트, 캔, 유리병을 제자리에 맞게 골라 넣으면점수가 올라가도록 했다. 분리수거율이 높아진 것은 당연하다. 어떤 사람들은 최고 점수를 받으려고 일부러 먼곳에서도 왔을 정도였다고.

여섯 번째, 무료 Wi-Fi가 터지는 뒷좌석 안전벨트.

승용차나 택시의 뒷좌석을 이용할 때도 안전을 위해 안전벨트를 착용해야 하지만, 현실적으론 거의 지켜지지않는다. 브라질 경우 택시 승객의 안전벨트 미 착용률은92%에 달하는데, 이를 개선하기 위해 넛지를 활용한 흥미로운 공익 캠페인이 놀라운 결과를 보여주었다. 각종경고와 끔찍한 교통사고 장면에도 별 반응이 없던 승객들을 움직이게 한 것은 '안전벨트를 매면 무료 와이파이

가 연결된다'는 작은 안내문이었다. '안전벨트 매기' 공
익 캠페인(Safety Wi-Fi 캠페인)에 사용된 Wi-Fi 택시
에 탑승한 승객 약 4,500명 모두 안전벨트를 맨 것이다.
나에게 일어나지 않을 것이라고 생각되는 먼 미래의 일
에 대한 경고보다는, 지금 당장 주어지는 확실한 보상과
이익에 마음이 이끌린 것이다.

일곱 번째, 피아노 계단.

스웨덴의 스톡홀름의 한 지하철역 에스컬레이터 옆 계단
을 피아노처럼 만들고 밟을 때마다 피아노 소리가 나도
록 센서를 설치해 놓고 사람들을 관찰했더니 자발적으로
계단을 이용하는 사람들이 눈에 띄게 늘었다. 폭스바겐
의 친환경 마케팅이었지만 '즐거움이 세상을 바꾼다'라
는 메시지는 제대로 사람들에게 각인 시켰다.

이를 벤치마킹 한 것이 서울시의 '기부 하는 건강계단'이
다. 계단을 걸을 때 가야금이나 피아노와 같은 악기나 음
악소리가 나거나 불이 들어와서 재미있게 계단을 이용할
수 있다. 계단에는 센서가 있어서 이용자수를 확인할 수

있는데 사람들이 계단을 이용할 때마다 10원씩 적립해서 걷지 못하는 장애아동이나 환자들의 재활 비용으로 기부된다고 한다. 서울시는 기부하는 건강계단에 드는 전기세를 부담하고 기업들이 연간 후원금을 정해 후원하는 형식으로 운영되고 있다.

여덟 번째, 도로 곡선 구간

부산지방경찰청이 고가도로 사고 줄이기에 나섰다. 과속단속 카메라를 설치할 수 없는 현실을 고려해 넛지를 이용한 교통사고 방지시설물을 설치하기로 했다. 구간별로 길이 300~400m 구간에 흰색 가로 선을 긋되, 곡선구간이 심해질수록 가로선 간격을 좁힌다. 운전자가 같은 속도로 달리더라도 곡선이 심한 구간일수록 속도감을 더 느끼는 착각을 유도해 속도를 줄이게 하는 방식이다. 최고제한속도가 시속 80㎞인 광안대교의 경우 400m 구간에 가로 선을 그리되 곡선 구간 시작 지점에서는 가로선 간격을 30m로 했다가 점차 20m, 10m로 간격을 줄이는 식이다.

넛지 효과를 이용한 백색 가로 선은 미국 시카고의 레이크쇼어 도로에 설치돼 교통사고 감소 효과를 거두었다. 레이크쇼어 도로는 뛰어난 주변 경관으로 통행차량이 많지만 교통사고가 빈발하자 시 당국이 백색 가로선을 그어 사고를 대폭 줄였다.

아홉 번째, 옐로카펫.

옐로카펫(Yellow Carpet)은 국제아동인권센터가 아동권리 옹호를 위해 개발한 주민참여형 어린이 교통안전 설치물이다. 어린이들이 횡단보도를 건너기 전에 안전한 곳에서 기다리게 하고, 운전자가 이를 쉽게 인지할 수 있도록 바닥 또는 벽면을 노랗게 표시한다. 횡단보도와 맞닿은 보도와 벽면 등에 설치되며 바닥체와 벽체로 구성돼 있다. 어린이들이 횡단보도를 건너기 전에 안전한 곳에서 기다리게 하고, 운전자가 이를 쉽게 인지할 수 있도록 바닥 또는 벽면을 노랗게 표시한다. 횡단보도와 맞닿은 보도와 벽면 등에 설치되며 바닥체와 벽체로 구성돼 있다. 강요에 의하지 않고 자연스러운 '넛지(Nudge) 효과'를 이용해 횡단보도를 건너기 전에 어린이들이 안전한 지역에 머물도록 유도하는 기능을 한다. 운전자들에게는 노란색을 통해 운전 중에 눈에 띄는 구역을 만들어 줌으로써 횡단보도에 서있는 아이들을 인지하게 해 줘 횡단보도 교통사고를 예방할 수 있다.

열 번째, 웨이파인딩

지하철, 전통시장, 버스승강장, 종합병원, 대형쇼핑몰 등 유동인구가 많고 붐비는 장소마다 바닥을 활용한 넛지(Nudge) 디자인과 웨이파인딩(Wayfinding) 시스템이 적용된 모습을 쉽게 볼 수 있다. '웨이파인딩'은 정보의 인지를 통해 길이나 장소를 찾는 과정이나 그 방법을 말한다

4. 의식하지 못하지만 우린 이미 이 넛지가 적용된 무언가로 인해 행동을 하게 된다. 처음 '넛지'라는 개념을 리처드 세일러와 캐스 선스타인의 책을 통해 알게 되면서 '와~ 이거 안전관리에 적용하면 진짜 좋을 거 같다'는 생각이 먼저 들었다. 사고의 위험이 언제나 존재하는 산업

현장에서도 넛지는 강한 힘을 발휘할 거라 확신했다. 근로자와 사업주가 안전을 위한 행동을 자연스럽게 선택하고 반복적으로 움직이도록 유도하는 것은 현장의 사고를 방지하는 핵심과제이기 때문이다.

5. 안전보건에 관한 사항은 '안전하고 건강하기 위해서는 어떠한 행동을 해야 한다' 는 일방적인 메시지가 많다. 개인의 동기부여나 특정한 경험 없이 는 잘 따르지 않기 때문에 강제성을 띄기도 한다. 그래서 다른 이에게 특정한 행동을 하도록 요구할 때, 메시지 전달이 일방적인 경우에는 항상 '저항'이라는 요소를 염두에 둬야 한다. 넛지는 이러한 저항에 의한 갈등을 최소화하여 '자발적 선택'을 이끌어낸다. 안전보건에 적용되는 넛지는 최소한의 개입으로 간섭에 대한 저항을 낮추고, 선택으로 주어지는 보상이나 이익을 통해 자신의 선택이 틀리지 않았음을 즐거워하도록 한다.

6. 그럼 어떤 식으로 넛지를 현장에 적용할 수 있을까?

고민해 보면 크게 4가지가 있었다.

첫 번째는 안전훈련을 진행할 수 있습니다. 예를 들어, 사고가 발생한 경우를 시뮬레이션 하여 직원들이 각자의 역할을 이해하고 비상상황에 대처할 수 있도록 유도할 수 있다.

두 번째 시각적인 안전을 강조할 수 있다. 예를 들어, 공장 내에 안전 홍보 포스터나 안전 장비 사용에 대한 안내판 등을 부착함으로써 직원들이 안전한 행동을 더욱 쉽게 취할 수 있도록 할 수 있다.

세 번째 안전한 행동에 대한 동기 부여를 할 수 있다. 예를 들어, 안전한 행동을 취한 직원들에게 보상을 주거나, 안전하지 않은 행동을 취한 직원들에게 경고를 주는 등의 방법으로 안전한 행동을 취할 수 있도록 유도할 수 있다.

네 번째 넛지를 이용해 안전한 환경을 조성할 수 있다. 예를 들어, 작업장 내에 위험한 물건을 놓지 않거나, 안전 장비를 근처에 두어 쉽게 사용할 수 있도록 할 수 있다.

7. 넛지 책을 읽고 난 이후로는 현장에 새로운 안전 활동을 하기 전에는 꼭 넛지를 염두에 둔다. 그 결과 현장 직원들의 안전한 행동을 자율적으로 이끌어내기 위해 내가 회사에 적용한 넛지 사례가 몇 가지가 있다.

1) 사고 사례 전시회 개최

'역사는 반복된다'를 살짝 바꿔 '사고는 반복된다'로 적용해 보면 회사에서 사고가 발생하면 사고분석을 토대로 대책방안을 세워 개선해 나가는데 그 목적은 바로 유사 사고의 재발방지에 있다. 우리는 과거에 발생한 경험을 통해 현재를 살아가고 미래를 대처해 나간다. 과거가 없다면 현재도 없을 뿐더러 불확실한 미래 속에 살아간다. 과거의 사고를 기억함으로써 현재 안전하게 작업하고 미래를 예측해서 안전관리를 하자는 의미로 10년 동안 발생한 사고를 배너로 만들어 사고 전시회를 열었다.

나를 안전하게 한 문장들

2) 화장실에 사고사례 게시

위의 사고 사례 전시회는 현 회사에서 발생한 사고 사례를 활용했다. '그럼 다른 회사에서 발생한 사고 사례를 보고 우리 직원들이 간접경험을 해보면서 본인의 작업현장에 적용할 수 있게 하려면 어떻게 어떤 식으로 해야 될까?' 고민했고 '직원들이 공통적으로 제일 많이 가는 곳에 사고사례를 매주 게시해서 오고 가고 볼 수 있게 하는 건 어떨까?' 생각하게 되었고 '직원들이 굳이 보려고 의도하지 않았지만 볼 수밖에 없는 곳은 어디일까?' 생각하다 발견한 곳이 회사 화장실 소변기 정면이었다.

3) 무인 안전 보호구 함

산업안전보건법에 의거해서 직원들이 안전하게 작업하도록 회사에서 제공해야 되는 안전보호구가 명시되어 있다. 작업자가 착용해야 되는 안전보호구는 회사 내 위험요인에 따라 다르므로 회사가 모든 작업의 위험성평가를 통해 위험요인을 파악하고 필요한 보호구를 확인 후 보관하고 해당 위험작업을 하는 작업자에게 지급해줘야 한다. 지급 후 안전보호구 대장에 지급에 대한 내용을 기재해야 된다.

주간/야간 24시간 현장이 돌아가는 회사에서는 위험작업에 필요한 안전 보호구를 실시간으로 지급하기가 쉽지 않다. 그리고 내가 경험한 바로는 사람 성향에 따라 보호구를 지급해 달라고 말을 못 하는 직원들이 있었다. '어떻게 하면 실시간으로 안전보호구를 지급해 줄 수 있을까?' '어떻게 하면 직원들이 마음 편히 안전보호구를 지급받고 안전하게 작업할 수 있도록 할 수 있을까?'

고민 끝에 현장 곳곳에 무인 안전 보호구 함을 비치했다. 이 보호구 함에는 우리 현장에서 사용하고 있는 모든 보호구를 비치하고 원하는 사람은 누구나 들고 갈 수 있게

하였다. 그리고 본인 스스로 보호구 관리대장에 기록할
수 있도록 교육하였다. 요즘 우후죽순 생긴 무인 숍에서
착안하기도 했는데 이 글을 안전관계자들이 보면 이해할
수 없는 안전관리가 될 수도 있는데 거짓말 같지만 아무
문제 없이 잘 운영되고 있다.

4) 건강한 습관 계단 걷기 캠페인

회사에 엘리베이터가 설치되어 있다. 걷는 게 건강에 좋다는 건 누구나 다 아는 사실이다. 하루는 24시간으로 되어 있고 그 시간의 반 이상을 회사에 머물러 있다. 건강이 중요하다는 건 알면서도 시간이 없다고 핑계를 대는 사람들을 위해 회사에서도 충분히 운동할 시간이 있다는 걸 강조하고 싶어 엘리베이터보다는 건강을 위해 계단을 사용하자는 표지를 부착하였다.

5) 발걸림 위험 표지.

현장 바닥 곳곳에 걸려 넘어질 위험이 있는 장소들이 많다. 예로 들면, 크레인 레일, 전선 배관, 파손된 현장 바닥 등이 해당된다. 그래서 작업자들이 걸려 넘어짐 위험을 인지할 수 있도록 타이거 마크를 표시했고 발걸림 위험 주의 바닥표지를 부착했다.

6) 감성안전 포스트

내가 사고를 예방하기 위해서 지켜야 되는 안전규정을 힘들게 교육한다 한들 직원들의 가슴에 와 닿지 않으면 시간낭비에 불과하다는 생각을 항상 해왔다. 그래서 내가 한때 꽂혔던 안전관리가 감성 안전이었다. 우리가 힘들게 돈을 벌고 일하는 이유는 뭘까? 왜 우리는 회사에서 안전하게 일해야 할까? 모든 직원들의 대답은 행복해지기 위해서 였다. 그래 우리 삶의 목적은 행복에 있다. 이 행복을 내 가족과 같이 누린다면 세상 바랄 것 없는 큰 기쁨이다.

그래서 만들었던 것이 직원들 가족들의 사진을 모아 포스터를 제작하여 현장에 게시하였다.

8. 위와 같은 방식으로 안전 넛지를 한다면 근로자가 작업장에서 보다 안전한 결정을 할 수 있도록 유도해 예기치 못하게 발생하는 사고를 예방하는데 많은 도움이 될 것이라고 생각한다. 이를 구현해 내기 위해 과도한 비용이나 시간이 들어가지 않지만 보다 큰 영향을 미친다는 점에서 의미가 있다. 넛지는 올바른 행동을 장려하는 작은 알림을 직장에 현명하게 배치하는 것은 근로자의 행동에 간접적으로 영향을 미쳐 더 나은 선택을 할 수 있도록 도울 것이다.

9. 우리는 넛지(Nudge)가 될 것인가? 늣지(noodge)가 될 것인가? 넛지(nudge)는 주위를 환기하거나 부드럽게 경고하기 위해 상대에게 'nudge'를 행하는 사람을 일컫는다. 끊임없이 불평만 늘어 놓는 늣지(noodge)와는 완전 다르다. 늣지(noodge)는 '성가신 사람, 골칫거리, 불평하는 사람' 뜻한다. "이제 세상이 바뀌었고, 인간에 대한 이해가 달라졌다. " 이념이 아닌 효율성을 따를 것, 이성적 인간이 아닌 비이성적 인간을 인정할 것, 사려 깊게 유도하고 부드럽게 개입하는 순간, 진짜 살아있는 인간

이 움직인다.

출처: 넛지 / 리처드 탈러, 캐스 선스타인 지음

24 / 조직과 상황에 맞는 리더십이 필요하다.

1. 안전 환경팀장으로 선임되면서 많은 리더십 책을 읽었었다. 현재도 계속 읽고 있다. 리더십에도 종류가 많다. 서번트 리더십, 카리스마 리더십, 참여형 리더십. 시중에 나와 있는 책 또는 인터넷 검색만 조금 하면 많은 리더십 종류가 나온다. 내가 생각하는 리더십에는 정답은 없다고 생각한다.

2. 현재 놓여있는 조직에 맞는 리더십, 그리고 본인의 인성과 성격에 맞는 리더십을 적용해 나가면 본인의 조직을 잘 이끌어 갈 수 있을 거로 생각한다. (다만, 카리스마 리더십은 내 몸에 안 맞는 거 같다)책에서도 말하듯이 직원들은 결코 직장에 헌신하지 않는다.

3. 직원들은 회사에 헌신하는 것이 아니라 궁극적으로 사람에게 헌신하며 이는 신뢰와 존중, 책임과 헌신을 바탕

으로 하는 인간관계에서 비롯된다. 리더십은 직위나 직책 또는 권위에서 비롯된다는 옛말이 있지만 직원들은 직위를 따르는 것이 아니라 사람을 따른다는 점을 명심해야 한다.

4. 혹시 사람들은 회사를 보고 입사하지만 상사 때문에 퇴사한다는 말을 들어본 적이 있는가? 이것이 바로 부하직원들을 헌신하도록 만드는 리더십의 요체다. 그리고 이것은 오늘날 새로운 리더십으로서 파트너십이 회자하고 있는 이유이기도 하다.

5. 대부분의 직장 동료들과 사내에서 커피 한잔하면서 잡담 할 때 월급을 더 많이 받으면 더 열심히 노력할 건데라는 말을 많이 한다. 하지만 이런 태도는 리더십이 아니라 피해 의식이다. 특히 리더는 남들보다 더 많은 일을 해야한다. 리더는 자기 자신이 누구인지, 무슨 일을 하는지. 그리고 함께하는 직원들에게 얼마나 많은 관심을 기울이는지 등에 따라 그만큼 돋보이는 것이기 때문이다.

6. 파트너 리더십은 열정을 전제로 한다. 만약 우리가 성실하고 헌신적인 직원을 원한다면, 먼저 거울에 비친 자기 모습을 보며 스스로 열정이 있는 사람인지 돌아볼 필요가 있다. 열정 없는 리더는 성실하지 못한 사람들만 따르기 마련이다. 리더의 속도가 조직의 속도를 결정한다는 말을 들어보았을 것이다. 이는 특히 리더의 태도와 직업윤리 의식, 업무를 수행하는 에너지, 성실함 등을 살펴보면 명확해진다.

7. '겐샤이' 라는 인도어가 있는데 이는 다른 사람들에게 무시 당한다는 느낌을 줄줄 수 있는 태도를 절대로 취해서는 안된다는 뜻이다. '겐샤이' 를 실천하는 리더는 사람들을 치켜세우고 그들에게 관심을 쏟고 있다는 것을 보여주며 그들 자신이 중요하다고 느끼도록 만든다.

8. 어느 리더는 해야 할 일들이 이렇게 많은데 어떻게 모든 직원과 시간을 보내며 그들 각자가 중요하다는 느낌을 받도록 할 수 있는지 의문이고 하루가 24시간으로는

충분하지 않다고 도리어 말한다고 한다. 저자는 이렇게 대답했다 " 당신이 바쁘다는 점을 익히 알고 있고 나도 마찬가지입니다. 우리 모두 다 바쁜 사람들입니다. 하지만 당신의 문제를 다른 사람에게 떠밀지 마세요. 당신이 같이 일하는 사람들은 당신이 바쁘다는 사실을 알아야 할 필요가 없습니다. 그것은 그들의 문제가 아닌 당신의 문제입니다. "

9. 직원을 사랑하라. 내가 가장 좋아하는 리더십에 관한 명언이 있는데, '사람들을 리드하지 않고 사랑할 수는 있지만 사랑하지 않고 리드할 수는 없다' 는 말이다. 영향력보다 가치를 중요시하는 리더의 20가지 모습은 아래와 같다.

1. 직원들과 일대일로 개별적인 시간을 가져라

2. 공식적으로 인정하라

3. 진심으로 칭찬하라

4. 문제가 발생하면 비판하지 말고 관심을 기울여라

5. 점심을 사라

6. 팀원들에게 신뢰감을 주어라

7. 직원들에게 회의를 주도하고 발표할 수 있는 기회를 주고, 지도력을 발휘해 각광받을 수 있도록 기회를 주어라.

8. 직원들의 이름과 취미, 기호품을 파악하라

9. 끊임없이 배워라

10. 지식을 공유하라

11. 상호 도움이 되는 사람들과 사귀어라

12. 유익한 책이나 기사를 공유하라

13. 솔직히 대화할 수 있도록 충분히 배려하라

14. 더 좋은 질문을 하라

15. 손으로 메모를 작성하라

16. 타인의 계획과 의도를 지지하라

17. 말을 줄이고 많이 들어라

18. 소소한 이유라도 연락하라

19. 다른 사람들의 의사를 존중하라

20. 생일을 기억하라

출처: 끌리는 리더의 조건 / 타이 베넷 지음

25 / 꾸준한 피드백이 사람의 행동을 바꿀 수 있다.

1. 우리는 맛있는 음식을 먹고 마시면 심리상태가 매우 쾌적해 진다. 쾌적한 상태에서는 마음도 개방적으로 된다. 그래서 뭔가를 먹고 마시지 않을 때는 반응하지 않던 사람도 식사하면서 부탁하면 선뜻 좋다고 대답하는 경우가 꽤 많다. 뭔가를 함께 먹는다는 행위 자체가 서로의 친밀감을 높이는 데 도움이 된다. 한솥밥 먹는 사이라는 표현이 있듯이 우리는 함께 식사한 사람에게 친숙함을 느낀다.

2. 사업장에서 나 같은 경우에는 회의를 주관하여 진행할 때 중요하게 생각하는 게 3가지가 있는데,

첫 번째는 사전에 참석자에 회의 일정을 공지하고 꼭 아웃룩 캘린더를 추가하여 시작 시간과 회의 종료시간을 지정하여 참석자에게 메일을 송부한다. 그렇게 되면 회의 일정 여부를 다시 한번 상기시키지 않더라도 스스로 알 수 있게 된다.

두 번째는 회의자료를 회의 하루 전이나 이틀 전에 만들어서 참석자에게 송부하는데, 원활한 회의 진행과 정해진 시간에 끝내기 위함이다.

마지막 세 번째가 바로 책에서 말한 대로 다과를 회의 책상 중간중간에 놔둔다. 특히 초콜릿. 갑자기 당이 올라가고 기분이 좋아지면 평소에 부정적으로 생각했던 거도 긍정적으로 생각하게 되는 마법의 기운이 회의실 전체적으로 퍼지는 거 같다.

안전 회의라고 하면 대부분이 부정적으로 생각하거나 색안경을 끼고 들어오게 마련인데, 뭔가를 먹으면서 안건에 관해 얘기한다고 하면 친밀감도 높아지고 마음도 개방적으로 되지 않을까?

3. 상대방의 성격은 내가 규정한다고 한다. 그걸 바로 라벨 효과 또는 레테르 효과라고 한다. 예를 들면, " 넌 마음이 굉장히 넓구나", "당신은 누구에게나 친절하군요. " 이런 라벨을 상대방에게 붙여 주면 상대방도 마음이 넓어지고 불친절하게 행동하지 않는다. 사람은 보통 다른 사

람이 라벨을 붙여주면 그 라벨대로 행동하려고 한다.

4. 한편 라벨 효과는 부정적인 방향으로도 작용한다. "넌 쓸모없어"라는 라벨이 붙은 사람은 원래 아주 멀쩡한 사람이라 해도 그 말을 듣는 동안 쓸모없는 사람이 되어간다. 따라서 친구에게는 가급적 좋은 라벨을 붙여야 한다. 그렇게 하면 친구는 내가 바라는 사람으로 되어갈 것이다. 서로 간의 커뮤니케이션은 정말 중요하다. 대상에 따라 상황에 따라 그에 맞는 커뮤니케이션을 해야 하기 때문이다.

5. 사업장에서 현장 안전 점검을 할 때 작업자의 행동을 관찰하고 그에 맞는 피드백을 주는데, "역시 보호구도 잘 착용하시고 안전하게 작업하시네요", "항상 본인 작업장의 정리 정돈을 잘하시네요" 등의 긍정적인 피드백을 주로 많이 주는데, 책에서 말한 대로 듣는 사람의 입장에서는 그 피드백을 본인의 라벨이라 생각하고 그 라벨대로 행동하려고 노력하게 될 것이다. 하지만 한 번에 그

치는 게 아니라 꾸준히 피드백을 줘야 한다. 살아가면서 느끼는 거지만 사람의 행동을 바꾸기 란 쉬운 일이 아니다. 꾸준함이 답이 아닐지 생각한다.

출처: 말투 하나 바꿨을 뿐인데 / 나이토 요시히토

26 / 세월이 변하듯 지식도 변한다.

1. 우리가 간과하고 있는 사실이 있는데, 우리가 대부분 알고 있는 지식은 언젠가는 다른 형태나 사실로 변하고 끊임없이 성장하고 붕괴한다. 예로 들면, 흡연이라는 행위는 의사가 권장하는 것에서 죽을 수도 있는 것으로 변했다. 고기는 처음엔 좋은 것이라는 인식에서 나쁜 것으로 바뀌었다가 다시 좋은 것으로 변하더니 이제는 저마다의 생각을 따르면 된다고 한다. 다른 형태의 지식, 이를테면 우리 주변의 사물에 대한 지식도 변한다.

2. 세상은 끊임없이 변해간다. 지식이 이렇게 쉴 새 없이 변하니 매우 박식한 사람들도 따라가기 힘들다. 이 모든 변화에는 법칙이 없는 데다 워낙 강력해서 저항조차 할 수 없는 것으로 보일 수 있지만 사실 요란한 과정 안에서는 질서가 존재한다. 지식은 마치 방사능과도 같다.

3. 한편, 잘못된 정보는 매우 빨리 확산될 수 있다. 나도 지금까지 그런 줄만 알고 있었던 지식인데, 보스턴 글로브에 기고한 글에서 어떤 지식이 천천히 변하면 사람들이 이를 알아차리지 못한다는 내용을 설명하느라 개구리를 솥에 넣고 천천히 물을 끓이면 개구리가 튀어나오지 않는다는 잘못된 지식을 인용했다. 사실 개구리는 뇌사 상태일 때만 솥에서 튀어나오지 않는다.

4. 업무 생산성이 어떤 요인에 영향을 받는지에 대한 아주 중요한 실험이 있다.호손 효과가 있는데 즉 관찰되고 있다는 사실을 알면 사람들의 행동이 달라지는 현상을 말한다. 이 효과는 1920년대와 1930년대 시카고 외곽에 있는 호손 워크스라는 공장에서 행한 연구에 따라 명명되었다. 과학자들 이를테면 조명 같은 환경적 변화가 근로자들의 생산성에 어떤 영향을 미치는가를 측정하려고 했다.

5. 이들은 조명을 강하게 하거나 기타 작업환경의 어떤

면에서 변화를 주는 등 근로자의 행동을 변화 시키려고 조치할 때 생산성이 향상된다는 사실을 발견했다. 그러나 연구가 끝나자마자 생산성은 떨어졌다. 학자들은 환경의 변화가 아니라 관찰하고 있다는 사실 자체가 생산성에 영향을 미쳤다는 결론을 내리고, 호손 효과를 다음과 같이 정의했다. 자신이 특별 관찰 대상이 되고, 이에 따라 자신의 중요성이 증가한다는 심리적 자극으로 촉발된 근로자의 생산성 향상. 관찰 당했을 때 일어나는 변화라면 무엇이든 적용될 정도로 의미확장이 되었지만, 생산성에 초점을 맞추다 보면 중요한 의미가 생긴다.

6. 세상이 자신을 관찰하고 평가한다는 것을 알면, 그리고 이에 관해 예측된 기준이 있으면 어떤 업계의 구성원들은 생산성을 증가시키고 기준에 부합해야 한다는 추가 압박에 직면한다. 이건 내가 하는 안전 업무에도 적용되는 내용이기도 하다. 왜 우리가 매일 현장에서 안전 점검을 해야 되는 지의 타당한 이유를 말해 준다. 형광색 조끼를 입은 점검자가 현장에 모습을 드러내고 작업자들의 불안전하게 작업하는 행동을 관찰한다고 하면, 호손 효

과와 같이 자신이 특별하게 관찰 대상이 된다고 생각하면 불안전하게 행동하던 본인의 모습을 안전한 행동으로 바꾸게 될 가능성이 크기 때문이다.

7. 보통 남자의 경우 회사 들어가는 나이대가 20대 후반 정도가 될 거다. 회사 들어가기 전까지 우리는 초등학교, 중학교, 고등학교, 대학교에서 평생 할 공부를 다 한 거 같이 행동한다. 하지만 우리는 20살까지 배운 지식으로 평생 살아갈 수 없다. 책에서 말했듯이 그 지식은 우리가 회사 생활을 해오면서 변화하거나 없어지게 될지 모른다. 10년이면 강산이 변한다는 옛말이 있는데, 지금은 말도 안 되는 말인 거 같다. 현재는 1년이면 세상이 변할 수도 있다. 빠르게 변화하는 시대에서 속도에 맞춰서 적응하고 살아가려면 끊임없이 배워야 하고, 배운 걸 본인의 환경에 적용할 줄 알아야 한다.

출처: 지식의 반감기 / 새뮤얼 아브스만

27 / 'See' 와 'Watch' 의 차이

1. 안전에 꼭 필요한 '위험을 보다'는 뜻의 '보다'는
'Watch'이다. 'Watch'의 뜻을 살펴보더라도 그 뜻은
'보이지 않더라도 보려고 시간과 노력, 관심을 기울여서
보는 행위' 라고 정의 되어 있다. 그에 반해서 'See'는 그
저 눈에 보이니까 보는 것을 말한다. 일종의 안전불감증
단어이다. 즉, 안전에 있어서 우리는 'See' 하지 말고
'Watch' 해야 하는 것이다.

2. 산업현장에서 사고가 일어날 일이 별로 없을 것이라고
일반적으로 생각하는 이유는 여러 가지가 있지만, 대표
적으로 다음과 같다.

1) 경험 부족: 새로 입사한 사람의 경우 일을 처음 해보기
때문에 어느 정도 경험이 쌓이기 전까지는 위험한 상황
에서 사고가 일어날 가능성을 인식하지 못한다.

2) 안전 장비의 완비: 우리 사업장을 보더라도 안전 장비

와 시설이 갖춰져 있어, 사고가 발생할 가능성이 작아 보이지만 이러한 안전 장비와 시설이 올바르게 사용되어야 하며 그렇지 않은 경우 여전히 위험할 수 있다.

3) 불확실성의 인식 부족: 사람들은 자신이 통제할 수 있는 부분이 많다고 생각한다. 따라서 예측하기 어려운 위험에 대한 인식이 낮을 수 있다.

4) 낮은 위험지수: 대부분의 작업이 안전하다고 판단될 정도로 위험이 적어 보일 수 있지만 사고는 언제 어디서나 예상치 못하게 일어날 수 있다.

5) 무사고 상황의 경험 부족: 산업현장에서 무사고로 일을 해왔다는 경험을 바탕으로 사고가 발생하지 않을 것으로 생각하는 경우도 있다.

6) 문화의 영향: 일부 조직에서는 사고 발생을 부정적인 것으로 여기며, 사고를 보고하는 것을 피하려는 문화가 형성될 수 있다.

3. 사람들은 안전에 대한 인식이 부족하거나, 잘못된 정

보에 기반하여 착각에 빠져 안전사고를 일으키는 경우가 있다. 이러한 착각은 다양한 형태로 나타난다. 첫째, 안전 장치가 모든 위험을 막아준다고 믿는 경우 둘째, 안전 규정을 따르지 않아도 큰 문제가 되지 않는다고 믿는 경우. 셋째, 사고가 일어날 가능성이 매주 적다고 믿는 경우. 넷째, 안전사고가 다른 사람들과는 관계가 없다고 믿는 경우. 다섯째, 안전사고는 내가 겪은 적이 없으므로 일어나지 않을 것이라고 믿는 경우.

4. 많은 연구들이 안전 지식과 안전 행동 사이의 관계를 조사하였으며 안전 지식이 높을수록 안전 행동이 적극적으로 나타난다. 하지만 안전 지식만으로 안전 행동을 보장할 수는 없다. 안전에는 지식 뿐만이 아니라 개인의 태도와 행동 습관, 조직문화 등 다양한 요소도 관련이 있기 때문이다. 그러나 지식, 즉 교육이라는 것은 가장 기본적인 안전 행동의 기본 요소이고 그것이 교육 철학과도 직결되는 이야기이다.

5. 교육철학의 가장 근본은 '인간은 가르치면, 가르친 대로 행동한다.' 이다. 우리가 어린 시절부터 초중고 대학, 나아가 평생 배우는 이유가 무엇인가? 모르는 것을 배워서 그만큼 성장한다. 그리고 '성장한 만큼 행동한다'이다. 안전교육을 해야 하는, 할 수밖에 없는 이유이다. 물론 안다고 다 그대로 행동하는 것은 아니다. 인간의 행동에 대한 많은 연구를 보더라도 태도와 행동이 반드시 일치되는 것은 아니니까, 하지만 올바른 태도를 지니도록 만드는 최고의 방법은 결국은 지식일 수밖에 없다.

출처: 챗 GPT와 안전심리학자와의 대화 / 김직호

28 / 안전사고의 근본 원인은 휴먼 에러와 시스템의 불완전함에 있다.

1. 도대체 사고는 왜 발생하는 것일까? 무엇을 해야만 하고 어떻게 해야 할까? 정확한 원인을 찾아. 원인이 명확하다면 해결책 또한 더욱 명쾌해 진다. 결론은 사람이었다. 사람은 실수하고 기계는 고장 난다. 완벽한 사람은 없고 기계나 시스템 또한 완벽한 것은 세상에 존재하지 않는다. 설비 투자와 시스템 강화, 제도의 문제가 아니다. 사람을 움직여야 한다. 작업 현장에서 안전 수칙을 지키게 하고 위험 요인을 먼저 찾아내어 제거한다면 안전사고를 줄일 수 있다. 이를 위해 공장 운영의 우선순위는 안전이어야 하고 그것이 절대 가치가 되어야 한다. 여기서 가장 중요한 성공 요소는 임직원들의 자발적 동참을 끌어내는 것이다.

2. "회사의 안전수준은 안전을 바라보는 리더의 눈높이를 넘지 못한다."

3. 공들여 쌓은 탑도 벽돌 한 장이 부족해서 무너진다. 1%의 실패가 100%의 실패를 부른다.

4. 안전 수칙은 앎과 모름의 문제보다는 아는 바를 어떻게 실천하고 행동하느냐의 문제다.

5. 훌륭한 안전 문화란 어떤 것인가? '벽에 새겨진 글씨는 세월이 지나면 지워질 수 있지만, 가슴에 새겨진 의식은 지워지지 않는다'고 했다. 우리는 언젠가는 조직을 떠난다. 사람이 떠나도 시간이 흘러도 변하지 않는 안전 문화가 진정한 조직 문화다. 프랑스 조각가 로댕은' 전통이란 형식을 계승하는 것이 아니라 그 정신을 계승하는 것'이라고 했다. 안전 경영에 있어서 앞으로도 영원히 계승 발전해야 할 전통은 변하지 않는 조직문화이다. 시스템은 모방할 수 있어도 안전 문화는 모방할 수 없다. 비록 사람은 떠나도 시간이 흘러도 사람이 다치지 않는 안전 경영과 안전 문화는 제대로 정착이 되어야 한다.

6. 안전이란 군대와 같다. 100년 동안 한 번도 사용 못 할 수도 있지만 단 한시라도 없어서는 안 된다.

7. 어떻게 하면 일상에 안전의식이 살아 숨 쉬게 할 수 있을까? 먼저 안전에 대한 리더들의 관심이다. '햇빛이 비치는 곳에 곰팡이가 슬지 않는다' 라고 했다. 관리감독자들의 눈길과 손길이 닿으면 위험 요소가 사라지고 안전한 작업환경이 만들어진다. 조직과 리더로부터 자신이 한 사람의 인격체로 존중 받고 보호되고 있다고 생각하면 리더들의 이야기에 귀 기울이며 리 등에 마음의 문을 열게 된다.

8. 이어서 안전의식을 강조하는 의도적, 계획적 활동과 상징적인 액션이 필요하다. 모든 일에 안전을 최우선으로 해야 하며 안전이 절대가치라는 것을 상징적인 액션을 통해 보여주어야 한다. 현장 방문, 면담, 보고, 회의, 행사 등을 실시할 때 자연스럽게 보여주면 더 효과적이다.

9. 리더가 안전에 대해서 하지 말아야 할 말은 안전하게 작업하라(Do work safely)는 말이다. 대신 안전하지 않으면 작업하지 말라는 말을 하라.

10. 고양이는 아홉 개의 생명을 갖는다는 격언이 있다. 고양이가 쥐를 잡기 위해 높은 곳이나 위험한 곳에서도 무수히 떨어지며 많은 죽을 고비를 겪지만 죽지 않고 끊임없이 새로운 먹이 사냥에 도전하는 모습을 보고 일컫는 말이라고 생각된다. '숱한 고비와 다양한 실패 뒤에 비로소 고양이는 고양이 다워진다' 안전 경영에 임하는 당신은 평론가인가? 실천가인가? 안전경영과 무재해 목표 달성을 위한 도전은 평론가보다 실천가가 되어야 한다. 계속되는 실패 속에서도 반드시 성공해 보겠다는 결연한 의지로 안되는 이유보다 될 수 있는 방안을 찾아 즉각적으로 실행하는 사람이 돼야 한다. 고양이는 아홉 번 죽는다. 도전한 목표에 비록 실패를 하더라도 실패를 두려워하지 않고 끊임없이 도전한다. ' 도전 없이 성공 없다. 실패를 두려워 말고 도전하자.'

11. 봄꽃을 피우는 수목은 겨울에 혹독한 추위를 거쳐야만 생장점이 반응하여 꽃을 피운다. 이를 전문용어로 춘화현상이라고 한다. 우리가 자주 접하는 백합, 라일락, 철쭉, 진달래, 튤립 등이 모두 여기에 속한다. 따스한 봄기운이 화려한 꽃을 피워내는 것으로 보이지만 정작 꽃을 피우는데 결정적인 역할을 하는 것은 겨울의 매서운 추위라고 한다. 안전과 무사고 또한 봄꽃의 춘화현상과 같다. 사람들은 누구나 온실 속 화초와 같은 평온하고 안락한 일상을 원할 것이다. 하지만 세상에는 공짜가 없다. 온실 속에서 따뜻한 겨울을 보낸 개나리가 결코 화려한 봄꽃을 피울 수 없듯이 겨울의 혹한을 이겨낸 화초만이 그것을 경험하는 기쁨을 누릴 수 있다. 이같이 우리가 소방하는 무재해, 사람이 다치지 않는 안전한 공장은 안전 춘화현상을 거쳐야만 가능하다.

12. 불편한 것이 곧 안전이다. 즉 안전하기 위해서는 불편해야 한다. 작아 현장에서 무재해 꽃을 피우기 위해서는 불편함을 감수하는 인내의 시간이 필요하다. 잠재된 크고 작은 위험 요소를 사전에 발굴하고 차단하는 끊임

없는 노력 또한 있어야만 가능한 일이다. 봄을 이기는 겨울은 없다. 겨울 추위와 세찬 북풍을 이겨낸 개나리가 화려한 봄꽃을 피우듯이 사람이 다치지 않는 공장이라는 무재해 꽃을 피우기 위해서는 혹독한 겨울나기가 필요하다.

13. 안전한 일터' 심리적 안전감'을 갖게 하라

14. 안전에 있어 지행합일을 실천하라. 후행 하면 죽은 지식이 되고 어설프게 선행 하면 더 큰 사고를 칠 수 있다. 알고서 실행하지 않는 안전 지식은 더 이상 안전 지식이 아니다. 실천을 통해 현장에 녹여내고 실행하도록 만드는 것이 진정한 지식이자 안전한 사업장으로 가는 지름길이다.

15. 논산 훈련소 주변이 깨끗한 이유는 팻말에 다음과 같이 쓰여 있다. " 쓰레기를 버리지 마세요, 귀하의 자식들

이 청소해야 합니다." 지금 우리 사회나 조직에서 시행하고 있는 많은 정책이나 과제가 통제나 강압적인 시각에서만 접근하고 있지는 않은 지 돌아볼 때다. 법으로만 사람을 움직일 수 없다면 강요하지 말고 설득해야 한다.

출처: 사람을 보면 안전이 보인다 / 이성호 지음

29 / 사람이 선물이다.

1. 일반적인 리더는 자신의 목표를 높일 줄 아는 사람이고, 좋은 리더는 남의 목표를 높일 줄 알지만, 위대한 리더는 스스로가 목표를 높일 수 있도록 영감을 주는 사람이다. 당신은 잘 해주는 사람과 잘 되게 하는 사람 중 어떤 리더와 같이 일하고 싶습니까? 또한 당신이 최고경영층 되었을 때 어떤 사람으로 기억되고 싶습니까?

2. 안전 경영활동에서 경영진이 하지 말아야 할 행동과 해야 할 행동은 하지 말아야 할 3가지 첫째, 유명무실. 서류만 열심히 만들어도 소용없다. 둘째, 우유부단. 때 늦은 결정이 리스크를 배로 키운다. 셋째, 자승자박. '틀림없이 괜찮을 거야' 는 절대 괜찮지 않다.

해야 할 행동 3가지 첫째, 유비무환. 미래 대비하라. 둘째, 우공이산. 계획한 일은 꾸준히 실행하라. 셋째, 노적성해. 아주 작은 사고(아차 사고)도 관리하라.

3. 2006년 연구자료(Gallup Consulting)에 따르면 근로자 참여가 있는 경우 근로자 참여가 없는 경우보다 안전 사고 발생률이 5배 낮고 근로 손실시간은 7배 낮았다고 한다. 이는 근로자 스스로가 어디에 위험 요소가 있는지 그 누구보다 더 잘 알고 있다. 또한 동료의 불안전한 행동에 대해 안전 행동을 권장하면 다른 사람들에 대해 저항감도 없으며 영향력이 크다. 그렇기 때문에 근로자의 참여가 필수 불가결하다. 누구를 위한 안전인가? 위험한 것을 목격한다면 직급에 무관하게 누구든지 라인을 정지시킬 수 있는 권한을 줘야 한다. '안전에는 공짜가 없다'

4. 우리는 살아가면서 각자 행동 기준이 되는 거울을 가지고 살아가고 있다. 나의 불안전한 행동 하나가 개인 뿐만 아니라, 조직, 사회로 미치는 영향력을 생각해야 한다. 긍정적인 부분 이면에 내포된 부정적인 부분을 특히 고려해야 한다. '안전한 길도 위험한 사람과 함께 가면 위험하고, 위험한 길도 믿을 수 있는 사람과 함께 가면 안전하다. 안전하고 위험한 건 언제나 길보다 사람이다.

출처: 팬데믹 시대 안전 리더십 / 안선생 지음

30 / 우리는 보이지 않는 끈에 연결되어 있다.

1. 생쥐와 개구리가 이웃해 살고 있었다. 개구리는 쥐가 항상 자기보다 멀리 다니며 먹이를 많이 차지하는 게 불만이어서 언젠가는 혼내리라고 마음먹고 있었다. 어느 날 개구리는 쥐에게 친구가 돼 함께 다니 자며 둘의 발목을 조금 긴 노끈으로 단단히 묶었다. 한동안 둘은 들판을 사이좋게 다니기도 했지만 마침내 연못에 다다랐을 때 개구리가 물에 뛰어들었다. 생쥐는 헤엄을 못 친다고 발버둥을 쳤지만 골탕을 먹이기로 작정한 개구리는 잠수를 멈추지 않았다. 이윽고 익사한 생쥐가 물에 뜨게 되자 멀리서 먹이를 노리던 독수리가 그것을 낚아챘다. 개구리는 물속으로 숨으려 했지만 묶인 발목 때문에 생쥐에게 매달려 공중으로 올려졌고 마침내 함께 독수리의 밥이 되고 말았다.

2. ' 세상에 처음 날 때 인연인 사람들은 손과 손에 붉은 실이 이어진 채 온다 했죠. 당신이 어디 있든 내가 찾을

수 있게 손과 손에 붉은 실이 이어진 채 왔다 했죠 '
가수 안예은의 대표 곡 <홍연>의 일부 가사이다. 나도
세상은 보이지 않는 끈으로 연결되어 있다고 믿는다. 내
동료가 불안전한 행동으로 위험한 상황에 놓여있을 때
헤엄 잘 치는 개구리처럼 들은 척도 않는다면 보이지 않
는 끈에 함께 불행의 늪으로 빠질 수 있다.

3. 삼풍 백화점 붕괴사고, 성수대교 붕괴사고, 대구지하
철 화재사고, 세월호 침몰사고 등 우리 사회를 슬픔에 빠
지게 했던 대형사고로 수많은 사람들이 고귀한 생명을
잃었다. 대구 지하철 화재사고만 해도 한 사람의 우울증
환자에 의해서 저질러진 일이다. 결국 무관심과 무성의
가 수많은 사람들의 귀중한 목숨을 빼앗아간 셈이다. 목
숨을 잃은 사람들은 방화범과 아무런 관계가 없는 이들
이다. 하지만 그 사람 때문에 생명을 잃었으니 관계가 없
는 것이 아니다. 이처럼 우리는 서로 보이지 않는 끈에 연
결돼 있다.

4. 우리는 혼자서 살 수 없다. 나만 안전하게 잘 살면 된다
는 단 세포 적 사고가 불행과 연결된 끈이 될 수 있다. 보

이지 않는 끈에 의해 우리는 서로 당겨 지기도 하고 이끌려 올려지며 또한 내려갈 수 있기 때문이다. 서로 약속을 잘 지킬 때 나와 내 동료의 안전이 확보된다. 그 약속이 바로 회사의 안전규정이다.

5. 안전은 스스로 지켜야 한다. 소중한 자신의 생명을 남에게 의존해서는 안된다. 스스로 안전을 도모하도록 생각이 바뀌어야 한다. 하지만 오랫동안 타성에 젖어 있는 사람의 마음을 움직이는 것은 쉽지 않은 일이다. 지속적인 교육과 더불어 근원적으로 인식이 변화될 수 있는 감성안전 프로그램으로 왜 우리가 안전해야 하는지 깨우쳐 줘야 한다. 회사의 안전규정을 지키지 않은 직원들에게 이런 질문지를 나눠주고 진단을 해보는 게 어떨까?

6. *당신의 행복을 위한 안전 진단서*

1) 당신이 위반한 안전수칙은 무엇입니까?
2) 만약 사고를 당하여 장애를 입었다면 가정에 어떤 일이 일어날까요?

3) 그와 같은 불행한 일이 일어나지 않도록 하려면 어떻게 해야 할까요?

4) 자신과의 안전 약속을 기록해보세요.

당신의 안전을 걱정합니다. 그리고 당신의 행복을 응원합니다.

출처: 습관의 지배자 행복의 포로 / 장인수 지음